BRWYDR
Y BRADWR

CEFIN ROBERTS

Gwasg
Gwynedd

Argraffiad cyntaf — Awst 2003

ISBN 086074 196 6

*Cyhoeddwyd ac argraffwyd
ar ran Llys Eisteddfod Genedlaethol Cymru
gan Wasg Gwynedd, Caernarfon*

CYFROL FUDDUGOL CYSTADLEUAETH Y FEDAL RYDDIAITH
EISTEDDFOD GENEDLAETHOL CYMRU
MALDWYN A'R GORORAU 2003

CYFLWYNIR Y GYFROL I RHIAN
AC ER COF AM EI FFRIND, AMRANWEN

Rydan ni i gyd yn mynd i gael ein lladd heddiw, yr holl job lot ohonan ni. Dwi wedi ngwasgu i lorri hefo dros hannar cant o nghyd-weithwyr ar ôl cael ein taflu'n ddiseremoni i'w chefn hi. Rydan ni wedi bod yma ers pedair awr neu fwy, heb na thamaid i'w fwyta na'i yfed. Mae'r gwres a'r drewdod yn llethol a'r pryfed yn bla, ac ar waetha'r drewdod sy'n llenwi'r awyr, yr ofn ydi'r drewdod mwya. Mae hwnnw'n stwmp ar stumog pawb erbyn hyn, hyd yn oed y dewra ohonan ni.

Rydan ni'n gwybod ein bod ni'n mynd i farw. Does yna ddim amheuaeth ynglŷn â hynny. Mi glywson ni nhw'n siarad ddyddia 'nôl ac mi roeddan ni'n gwybod pwy oedd i fynd, er na tydan ni ddim yn deall bob gair ma' nhw'n 'i ddeud. Tydyn nhw ddim yn siarad yr un iaith â ni, ond mi rydan ni'n gallu dirnad y rhan fwyaf o'r hyn sy'n cael ei drafod; rydan ni wedi hen arfer gneud hynny.

Ma' pawb yn ddistaw yma rŵan. Neb yn deud gair. Mi rydan ni'n clywed 'chydig o'r gweithwyr yn trafod tu allan ond ma' hynny fel tasa fo'n ychwanegu at y distawrwydd rwsud. Pawb ofn gneud smic rhag ofn collan nhw rwbath o'r hyn sy'n cael 'i ddeud. Hen wres llonydd ydi o, dim chwa o wynt o nunlla. Mae hyd yn oed hymian undonog y pryfed yn ychwanegu at y llonyddwch.

Yn sydyn mae 'na symud. Barrau'n datgloi a dorau'n dymchwal. Ond nid agor i'n rhyddhau ni y maen nhw, ond agor dorau marwolaeth y buon ni'n aros amdano ers oriau. Yn dyheu amdano bron. Mae'r symud yn well na'r aros.

Rydan ni'n cael ein hysio'n ddiseremoni i lawr coridorau llwydion ac mae ffon neu bastwn yn aros y sawl sy'n oedi neu'n petruso. Ein symud yn ein blaenau fel byddin yn cerdded i'w hangau, fel ŵyn i'r lladdfa, a does dim yn mynd i newid. Fel yna maen nhw wedi trin moch erioed.

★ ★ ★

Hen joban fudur 'di lladd. Joban futrach fyth 'di lladd mochyn. Joban waedlyd. Ac mae ogla'r gwaed yno am ddyrnodia wedyn hefyd. Gwaed ym mhob man. Dros y walia, dros y lloria, dros ddillad pobol ... ac ar 'u dulo nhw. Doedd hi ddim gwahanol pan laddon nhw Morgan. Morgan druan, y diniweitia ohonyn nhw i gyd. Morgan yr addfwyn, y bonheddig, y cwrtais, clên. Morgan ... fy mab annwyl i!

Roedd o fymryn yn wahanol o'r cychwyn cynta. Yng nghanol fy mherchyll newydd-anedig roedd o'n 'sefyll allan' fel bysa'r Sais yn 'i ddeud. Roedd o fymryn yn llai na'r gweddill, cwlin bach os gwelsoch chi un 'rioed, a chlamp o flotyn du oedd yn edrach yn debyg iawn i Sir Fôn ar ganol 'i gefn o. Yn rhyfadd iawn, un o foch Môn ydw i, er fod yn gas gin i'r hen lysenw hwnnw ar neb; fyswn i'm yn 'i ddefnyddio fo ar fy ngelyn penna – mae o'n dilorni dyn ac anifail. Ond o'n i 'di gwirioni'n lân pan welish i'r marc ar gefn Morgan bach; fy stamp i arno fo o'r cychwyn! Stamp 'i fam. Stamp Cymru.

10

Un o sir Forgannwg oedd 'i dad o. Dyna pam rhoddwyd yr enw Morgan arno fo'n y lle cynta. Mali alwodd o'n hynny. Plentyn fenga fferm Rhydlasau 'di Mali. Plentyn bach bywiog, bochgoch, uchel ei chloch, hefo mop o wallt melyn cyrliog clws, ac fel pob tin y nyth yn benderfynol o gael ei ffordd ei hun bob gafal. Doedd neb yn medru deud 'na' wrth Mali. Dyna pam yr aethon nhw â Morgan oddi arna i mor ddisymwth, am fod Mali isio mochyn. Ac os oedd Mali isio mochyn, roedd Mali'n cael mochyn.

'Dwisio mochyn!' medda hi un bora dy' Gwenar g'lyb ym mis Mai. Doeddan ni ddim wedi gweld ffasiwn law yn y pen yma o'r byd ers sbelan go lew. Roedd hi'n pistyllio bwrw, yn bwrw fel o grwc a hen wragadd a ffyn am yn ail, a phan ddaeth Morgan i'r byd dyma'r llifddora'n agor led y pen, a dyma hi'n dymchwal i lawr hyd yn oed yn fwy na'r dyrnodia cynt. Yn genllysg ac yn eira, yn fellt a tharana bob yn ail â pheidio. Eira ym mis Mai! Doedd 'na neb ffor' hyn wedi clŵad am ffasiwn beth. Wel, dim ers sbelan go lew p'run bynnag. A'r glaw fel rhyw Iorddonen yn llifo fel dilyw i mewn i'r twlc. Mae'n rhyfeddol fod y perchyll wedi byw o gwbwl. Cael a chael oedd hi iddyn nhw'm llusgo i o'r twlc i'r beudy mewn pryd i eni saith o'r moch bach dela welsoch chi 'rioed. A Morgan oedd yr ola i'w eni … a'r hawsa os cofia i.

'O! be goblyn nei di hefo *mochyn*, Mali bach?' medda'i mam, a phawb arall yn trio dal pen rheswm hefo hi na tydi moch ddim yn gneud anifeiliaid anwes da iawn. Ond toedd 'na'm byw na marw nad oedd yn rhaid i Mali ga'l mochyn.

'*Dwisio* mochyn!' medda hi wedyn yn daer. 'Mochyn i roid mewn blancad ag i yfad o botal fatha ma' Dad yn neud hefo'r oen ll'wath.'

Gwenu nath y gweddill o be dwi'n 'i gofio o'r stori.

'U clŵad nhw'n siarad hyd y buarth 'ma fydda i. Dyna sut 'dach chi'n ca'l hanesion ar fferm Rhydlasau. Tydy pobol ddim eto wedi dalld y'n bod ni'r anifeiliaid yn medru dadberfeddu 'u syna nhw heb fawr o draffath erbyn hyn. Tydio'm yn anodd. Mond gwrando'n ofalus sydd isio, cael gafael ar grombil y syna sy'n dŵad o'u bogal nhw a s'nwyro dipyn arno fo. Fedrwch chi ddalld be ma' nhw'n drio'i ddeud wedyn, fwy ne' lai. Tydyn nhw'm hyd yn oed wedi sylweddoli eto'n bod ni'n dalld ein gilydd yn iawn pen yma i'r buarth, a'n bod ni'n gwbod yn iawn be ma' nhw'n 'i neud hefo ni. A rŵan ein bod ni wedi llwyddo i ddadberfeddu iaith y dyn, ma'i fwriad o'n hollol glir i ni. Ond fedrwn ni ddim ymladd yn ôl. Wel, dim rhyw lawar beth bynnag. Mi fedar mochyn frathu, ac mi fedar cath gripio, fedar gwenynen bigo a tharw dwlcio, ceffyl gicio a dafad wingo, ond dim llawar mwy na hynny. Fedrwn ni'm dianc rhag 'i grafanga fo'n diwadd. Ma'i Dduw o wedi gneud yn siŵr o hynny. Mae o wedi deud wrtho fo mai yma i'n defnyddio ydan ni, i lafurio iddo fo, i weithio yn ôl 'i ddymuniad o, ac i farw drosto fo os bydd raid. A *ma'* rhaid wrth gwrs.

'Dwisio'i roi o'n y pram a gneud iddo fo gysgu,' medda hi wedyn. Doedd 'na'm symud ar Mali, roedd yn *rhaid* cael mochyn.

* * *

Cysgu'n sownd oedd Morgan pan ddoth Mali a'i mam i'r twlc i ddewis 'i 'babi' newydd. Dyna denodd hi ato fo dwi'n meddwl, y ffaith 'i fod o'n rhochian yn braf wrth fy ymyl i, ac yn rhoi rhyw ochenaid fach ddofn bob yn hyn a hyn. Tlws popeth bychan. A Morgan oedd y lleiaf o'r perchyll o dipyn. Roedd y lleill erbyn hyn wedi dechra magu blonag ac roedd 'na dipyn o gig yn chwyddo ar yr asgwrn er mawr foddhad i'r meistri. Ond un bychan oedd Morgan, a'i groen yn llyfn fel pen-ôl babi. Mi sylwodd ar y blotyn ar 'i gefn o hefyd, yn syth bìn, ond y fam sylwodd 'i fod o'n debyg i Sir Fôn.

'Lle ma' fan'no?' oedd ymateb Mali. A'r fam yn trio egluro wrthi mai dros y bont honno lle byddan nhw'n mynd i brynu mochyn weithia ma' Sir Fôn. Roeddan ni wedi clywed llawer am groesi'r bont, ac am Sir Fôn. Fan honno ma'r lladd-dy hefyd. Fyddwn ni i gyd yn gorfod croesi'r dyfroedd ryw ddydd.

'Llanddeusant?' medda Mali wedyn.

'Wel ... ia,' medda hitha'n oddefgar. 'Pentra yn Sir Fôn ydi Llanddeusant.'

Roedd y goets ganddi'r bora hwnnw yn barod i'w gario i'r tŷ, a'r dolia plastig, prennaidd wedi eu hen anghofio a'u lluchio i ryw gongol o'i stafall wely yng nghefn y tŷ. A rŵan, roedd hi'n mynd i gael babi go iawn. Babi fyddai'n anadlu, yn bwyta, yn yfed o botel ... ac yn cysgu. Ac roedd hi'n mynd i'w alw'n Morgan. Mi cododd hi o yn ei breichia a'i lapio mewn siôl a'i osod yn y goets, ac mi gysgodd yn syth.

Roedd o'n gysgwr heb 'i ail. Ac yn freuddwydiwr hefyd. Mi fydda'n deud 'i freuddwydion wrtha i ers pan oedd o'n beth bach, a finna'n gwrando'n geg agorad ar

13

bob un, ac yn rhyfeddu at 'i ddawn deud o. Oedd o'n dda am ddeud straeon o'r cychwyn, dawn y cyfarwydd ar flaena'i garna fo. Doedd ganddo fo ddim llawar o ddiléit fel y gweddill o'i frodyr i fynd allan hyd y caea i dyrchu am gloron. Roedd yn well gan Morgan swatio'n gynnas i'm hwythbron a deud am yr anturiaethau gafodd o yn ystod y nos.

'Tendia di na dw't ti ddim yn deud gormod o'r straeon 'ma wrth weddill yr anifeiliaid,' meddwn inna wrtho fo. 'Does wbod be feddylian nhw ohonat ti os dudi di hanas y breuddwydion 'ma wrthyn nhw.'

Ond deud ddaru o. Ac roedd hynny hefyd yn gneud Morgan yn wahanol. Yn fochyn bach ar wahân, yn fochyn bach na fedrai 'na lawar o anifeiliaid y buarth glosio ato fo. Mochyn oedd yn adrodd hanes ei freuddwydion rhyfedd, mochyn oedd ddim yn tyfu rhyw lawar ac yn aros yng nghysgod ei fam bob cyfla gâi, mochyn bach eiddil hefo marc rhyfedd ar ei gefn. Mae'n anodd closio at un felly. Ar y cyrion fydda fo wedi bod ar y gora. Ond unwaith y cafodd o fynd i'r tŷ a'i fabwysiadu gan Mali, aeth petha o ddrwg i waeth wedi hynny. Byddai ei weld yn cael ei ddandwn a'i folicodlo ac yn cael ei bowlio fel lord yn ei bram fach las hyd lwybrau'r fferm yn cynddeiriogi'r gweddill, a phan oedd yn cael ei fwydo hefo potel o lefrith hufennog cynnes, nad oedd gobaith gan unrhyw anifail arall ond y gath flasu diferyn ohono, roedd rhyw hen, hen reddf yn cael ei deffro yn eu hymysgaroedd fel rhyw hen neidr wenwynig oedd wedi bod yno'n cysgu ers canrifoedd.

Y cŵn oedd y cynta i ddechra lledaenu'r gwenwyn. Ryw 'sgyrnygu dannadd ac amball chwyrniad go isal oedd o i gychwyn. Doedd Mali ddim yn dalld be oeddan nhw'n 'i ddeud, wrth gwrs, ond roedd 'na rywbeth digon milain ar 'u hanadl nhw. Fasach *chi*'m yn 'i ddalld o wrth reswm; fasa 'na'm disgwl ichi ddalld. Dyna pam dwi wedi trio trosglwyddo hyn o lith i'ch iaith chi, er mwyn ichi drio dalld. Ond newch chi byth ddalld be oedd wedi'i gychwyn ar anadl y cŵn yr adeg hynny. Does ganddoch chi ddim gair yn agos i hwn. Dwi'n gwbod fod ganddoch chi regfeydd, a'ch bod chi'n gallu brifo'ch gilydd yn llawar iawn mwy na ni wrth ichi blethu'ch geiria clyfar hefo'i gilydd, a 'dan ni'n gwybod hefyd fod y geiria hynny'n lladd weithia. Ond does ganddoch chi ddim gair fatha hwn. Mond y cŵn oedd yn 'i ddefnyddio fo ar y cychwyn. 'Bradwr' ydi'r agosa sydd ganddoch chi ato fo mi dybiwn. Ond fod gair y cŵn yn llawar iawn mwy o reg na hynny. O hen, hen iaith y neidr mae o'n tarddu, ac i bwrpas cyfieithu hyn o eiria i iaith dyn, mi fydd yn rhaid i 'bradwr' neud y tro. Ond trïwch gofio'i fod o'n dipyn gwaeth na hynny yn iaith yr anifail.

Mond yn y nos y byddwn i'n ca'l gweld Morgan wedi i Mali 'i fabwysiadu. Dyna pam y byddwn inna'n cysgu gymaint yn ystod y dydd. Er mwyn ca'l bod yn effro pan ddeua' Morgan yn ôl at f'ymyl i yn y twlc. A chan mai cysgu y bydda fynta y rhan fwyaf o'r dydd, mi fydda'r ddau ohonan ni'n effro am oria yn ystod y nos tra bydda gweddill y perchyll yn 'i rhochio hi drwy'r oria di-haul yng nghhornel bella'r twlc, a fydda 'na ddim symud arnyn nhw, dim hyd yn oed pan fydda Morgan a finna'n chwerthin o'i hochor hi weithia wrth adrodd amball stori.

'Deud y stori am Pryderi eto, Mam,' fydda'i diwn o y

rhan fwya o'r amsar cyn i'r ddau ohonan ni roi'n penna i lawr yn oria mân y bora. Fydda fo wrth 'i fodd yn clŵad y rhan lle bydda Math yn cenfigennu fod gan Bryderi yr anifeiliaid rhyfedda fyw oedd o wedi'u hudo o Annwfn. Roedd o'n dotio clywed am Gwydion a Gilfaethwy yn cael eu danfon yr holl ffordd i lawr i Ddyfed i ddwyn y moch oddi arno trwy ddewiniaeth. Doedd o ddim yn licio'r rhan lle roedd Gilfaethwy yn meddiannu Goewin, ac mi fyddwn i bob amser yn gorfod rhuthro dros y darn hwnnw. Doeddwn i ddim yn ei adael o allan – doedd fiw peidio deud y stori'n llawn – ond mi fedrwch chi hepgor ambell fanylyn yma ac acw weithia rhag brifo teimlada'n ormodol. Roedd Morgan bob amsar isio bob stori yn 'i chyfanrwydd – roedd hepgor treisio Goewin yn anfaddeuol – mond imi ofalu troedio'n ysgafn drosti. A beth bynnag, does fiw rhagymadroddi gormod wrth ddeud stori, neu mi cewch chi'ch hun yn mynd oddi ar y trywydd yn llwyr yn y diwadd. Mond cychwyn y stori ydi hanes Gwydion. Symud ymlaen i stori'r moch sy'n bwysig y pen yma o'r buarth. Mae'n fersiwn ni o chwedl Math yn debyg iawn i'ch fersiwn chi, gyda llaw. Ond tydan ni ddim yn mynd ymlaen i adrodd chwedl Blodeuwedd fel yn eich straeon chi. Troi dyn yn Dduw mae'r rhan fach honno o'r stori, a threiddiodd hi ddim mewn unrhyw ffurf i mewn i'n fersiwn ni ohoni. Stori'r moch rydan ni'n ei datblygu wrth reswm pawb, ac maen nhw'n mynd yn ôl i Annwfn yn y diwadd, a does yr un *dyn* yn dŵad ar gyfyl y lle byth wedyn.

Mi gafodd Morgan freuddwyd am Annwfn, medda fo. Lle braf oedd Annwfn ym mreuddwydion Morgan. Yn dra gwahanol i'ch syniad chi o'r lle. Lle nad oedd 'na neb yn pesgi mochyn, na chwaith yn bwyta'i gnawd o. A deud y gwir, y moch oedd yn teyrnasu yn Annwfn Morgan, ac mi fydda'n adrodd ei freuddwydion hefo'r ffasiwn arddeliad nes y bydda gen i ofn iddo fo ddeffro'i frodyr yng ngwres ei angerdd.

Ond mi wyddwn i hefyd y bydda 'na darfu ar ei freuddwydion o bryd i'w gilydd yn ystod y misoedd ola. Hen air bach yn llithro'n ddisymwth i'w ymwybod o bob yn hyn a hyn a fyddai'n picellu ei freuddwydion bach o. Hen air oedd fel nodwydd drwy'i galon glwyfus o yn nhrwmbwl y nos. Hen air budur, milain, cas. 'Bradwr!'

—2—

Yr ieir oedd y nesa i bigo'r gair i fyny. Mi bigith rheiny rwbath mond ichi 'i ddeud o'n ddigon amal. Does ganddyn nhw ddim byd arall i' neud drw' dydd, a ma' nhw hyd y lle 'ma'n wastadol yn clwcian 'u ffordd drwy'r briwsion o sgwrs ma' nhw'n 'i glŵad. Dyna pam ma'u gyddfa nhw mor hyblyg. Plygu ffordd hyn, a wedyn ffordd arall, i ga'l clustfeinio ar y stori leia'n bod, a wedyn yn 'i lledaenu hi fel tân gwyllt cyn iddyn nhw ga'l cyfla i dynnu 'u hanadl. 'I lledaenu hi a'i hymestyn hi fel na byddach chi'n 'i nabod hi tro nesa deua hi i'ch cwfr chi. Gas gin i'r ieir. Hen iaith fain sydd ganddyn nhw. Iaith hawdd i'w dallt ar un olwg, ond wedyn, fel 'dach chi ar fin dallt be ma' nhw'n 'i ddeud ma' nhw'n newid, gefn dydd gola, yng ngŵydd pawb a phopeth. Ma' nhw wedi newid y geiria, ac yn chwara hen gêm digon dan din fel mai dim ond y *nhw* sy'n dallt be ma' nhw'n 'i ddeud am sbel. Dyna pam ma' gas gin i'r ieir. Ma' nhw'n lledaenu gwenwyn fel y gwynt, a ma' nhw dan draed.

'Glywsoch chi fod Morgan yn ca'l mynd i'r tŷ rŵan?' meddan nhw hyd at syrffed. Tydi rhai'n medru deud yr un frawddeg drosodd a throsodd a dal i'w deud hi fel tasa hi newydd ga'l 'i chreu? Does gan amball un ddim syniad pryd i ollwng eu gafael ar stori, waeth pa mor gron y dôn. Mi ddalian 'u gafael nes bod diflastod wedi hen lynu fel gela ynddi.

18

'Glywsoch chi be ma'r cŵn yn 'i alw fo rŵan ta?' medda 'na un arall heb lyfu 'i gwefla. A fel tasan nhw ddim yn gwbod yn barod maen nhw'n dal i ddeud, 'Na wn i. Be *ma*' nhw'n 'i alw fo?' A rhyw hen glochdar gwirion wedyn wrth sibrwd y gair yng nghlustia'i gilydd. Ac er mwyn cael clywed eu hunain yn ei ddeud o eto mae 'na un arall bownd o ddŵad i'r fei a gofyn,

'Be ddudsoch chi? Be glywish i chi'n 'i ddeud rŵan am Morgan?'

A dyna gychwyn ar y diwn gron unwaith yn rhagor. Ac yna i ffwrdd â nhw hefo'u hiaith fain i siarad dwli di-ddim gyda'u geiria diarth eto.

Ond buan iawn ma' rhywun yn dŵad i ddalld 'u tricia nhw'n diwadd; tydyn nhw ddim yn medru'n twyllo ni'n rhy hir. A hyd yn oed pan nad ydach chi'n eu dalld nhw, does ganddyn nhw fawr o sgwrs beth bynnag. Hen siarad gwag ydio i gyd yn diwadd. Mi fedrwch fyw heb 'u straeon nhw, coeliwch chi fi.

Ond unwaith y dysgon nhw ddeud y gair, doedd 'na ddim taw arnyn nhw wedyn. Roeddan nhw fatha plant hyd y lle 'ma wedi ca'l tegan newydd ac yn 'i ddeud o bob gafa'l. 'Bradwr!' fyddan nhw'n 'i ddeud bob cyfla geutha' nhw. 'Bradwr 'di Morgan … Bradwr.' Drosodd a throsodd a throsodd. Roeddan nhw'n 'i ddeud o mor amal nes roeddach chi methu peidio â'i ddeud o'ch hun yn diwadd. Dwi'm yn ama mod *i* wedi cychwyn 'i ddeud ryw unwaith neu ddwy heb sylweddoli be o'n i'n 'i neud. Dwi'n gwbod fod 'na rai o'i frodyr o wedi cychwyn 'i ddeud o hefo arddeliad yn diwadd. Wedi laru oeddan nhw, yn gwrando bob nos yn y twlc ar hanas 'i freuddwydion o.

'Braf iawn arna chdi, Morgan,' glywish i nhw'n ddeud wrtho fo sawl gwaith wedi iddo fo ddŵad yn 'i ôl i'r twlc. 'Yn ca'l amsar fel hyn i freuddwydio gymaint.'

'W't ti wedi dechra deud hanas dy freuddwydion wrth Mali bach eto?' medda 'na un arall.

'Calliwch, newch chi,' medda Morgan. 'Fasa Mali'm yn fy nalld i beth bynnag siŵr iawn. Dim iaith moch sydd ganddi.'

'Naci falla,' medda un o'r brodyr fenga, 'ond fydd hi'm yn hir rŵan cyn y byddi *di*'n siarad iaith *pobol*, yn na fydd Morgan? Ti ddigon clyfar i weld 'di mynd.'

'Be sy haru chi?' medda fynta'n 'i ôl. 'Mond *dalld* iaith pobol ydw *i* siŵr iawn, fel chitha. Fedrwn i ddim mewn oes Adda â'i *siarad* hi, siŵr iawn. Calliwch, newch chi!'

'Pwy 'di Adda?' ofynnish inna'n reit slei.

Anwybyddu'r cwestiwn ddewisodd o 'i neud y noson honno a chario mlaen i ddadla na ddeua fo byth i siarad iaith y tŷ, neno'r dyn.

'O, mi ddoi,' medda Maldwyn, y fenga ond un. Ac wedyn, ar ôl saib digon annifyr, mi edrychodd ym myw llygaid Morgan druan a dyma fo'n deud y gair, 'Bradwr'. Yn dawal bach dudodd o fo, ond hefo'r ffasiwn falais mi aeth fel saeth drw' nghalon i. 'Dyna be w't ti, Morgan. Bradwr bach dan din.'

* * *

Ryw fora dydd Sadwrn oedd hi pan nath petha ddechra mynd o chwith go iawn. Tan hynny, ryw hen alw enwa oedd hi wedi bod ar y gwaetha, a Morgan yn malio 'run botwm corn am 'u geiria nhw. Fi oedd yn teimlo waetha pan glywn i'r hen air 'na'n cael 'i ddeud a bod yn onasd hefo chi. Ond be wthiodd y cwch i'r dŵr go iawn oedd y

ffaith i Mali, un bora, ddŵad allan o'r tŷ hefo Morgan yn
'i breichia a fynta wedi'i wisgo mewn siwt felfaréd las a
sgidia gleision wedi'u gwau am 'i garna fo. Roedd o'n
gwisgo balaclafa bach glas am 'i ben fel na welach chi
mo'i glustia fo. Roedd hi wedi glynu rheiny'n dynn,
dynn am 'i ben hefo tâp gludo fel na welach chi mo'u siâp
nhw hyd yn oed. Doedd o'm yn edrach fel mochyn o
gwbwl 'di mynd. Doeddwn i prin yn 'i nabod o yn 'i siwt
newydd, ac i rwbio halen i'r briw ar y buarth, roedd Mali
wedi sgwennu cân iddo fo. Roedd hi'n eistedd ar ymyl y
cafn yng ngwres yr haul ac yn suo Morgan i gysgu trwy
bowlio'r pram yn dyner yn ôl a blaen ar y tamaid gwastad
o laswellt rhag iddo gael ei ysgwyd o gwbwl. Roedd
ganddi lais bach swynol, Mali. A Mam yn amlwg wedi
rhoi help llaw hefo'r geiria:

Morgan! Morgan!
Morgan fy mhlentyn bach i.
Morgan! Morgan!
Cannwyll fy llygaid wyt ti.

Chei di ddim niwed a chei di ddim cam,
Does dim rhaid gofyn i unrhyw un pam.
Cysga di'n dawel fy mhlentyn di-nam,
Cwsg yma'n dyner ar fynwes dy fam.

Morgan! Morgan!
Morgan fy mhlentyn bach i.
Morgan! Morgan!
Cannwyll fy llygaid wyt ti,
Cannwyll fy llygaid wyt ti…

Roedd y buarth i gyd yn gwrando. Hyd yn oed y gath.
Fydda Boncath ddim fel arfer yn cymryd fawr o sylw o
neb. Roedd hi'n rhy brysur yn tendiad i'w lles ei hun i

sylwi ar ddim arall. Ond heddiw, roedd *pawb* wedi hoelio eu sylw ar y cwlwm newydd yma oedd yn digwydd o flaen eu llygaid rhwng dyn ac anifail. Fedrwn i ddim llai na dotio a rhyfeddu at y fath ddarlun. Ond mi wyddwn mai ffieiddio oedd y gweddill yn ddieithriad. Ac roedd arna i ofn drwy waed fy nghalon.

Doedd Morgan, wrth gwrs, erioed wedi gwingo yn erbyn yr hyn yr oedd Mali'n ei dywallt arno. I'r gwrthwynab, a deud y gwir; roedd Morgan yn mwynhau pob eiliad o'r cariad maldodus oedd yn cael ei lapio amdano'n feunyddiol. A phwy wêl fai arno fo? Onid dyna 'dan ni i *gyd* ei angen yn y bôn? Pob copa walltog a phob creadur mud sy'n crwydro llwybrau'r hen ddaear yma, mi fedrwn ni i *gyd* neud hefo mymryn mwy o gariad. Dyna'r un peth nad oes 'na'm digon ohono fo i'w gael. Yn enwedig o'r pen yma i drefn petha. Ond roedd gweld Morgan yn ei siwt fach las wedi cynnau rwbath dipyn gwahanol i gariad ar y buarth, ac roedd fy nghalon i'n gwaedu drosto fo. Os oedd y gwenwyn yno cynt yn y cŵn a'r ieir, roedd o rŵan ym mhob man; roedd hyd yn oed adar y to wedi mynd i ganu ryw gytgan bach digon maleisus am y mochyn bach pinc yn ei siwt fach las. Dwi'n cofio'r byrdwn yn iawn, ond 'na i mo'i gynnwys yn hyn o lith; dwi'm yn meddwl y bysach chi isio gostwng i'r fath lefel â hynny. Er, *mae* ganddoch chitha'ch caneuon maswedd, a'ch caneuon hiliol a'ch caneuon creulon, yn does? Geiria wedi'u plethu at ei gilydd yn glyfar dim ond i frifo ac i ddychryn. A finna 'di meddwl mai gwaedu *dros* y ddynoliaeth oedd beirdd yn 'i neud yn wastadol, nid lladd arni. Petha rhyfadd 'di beirdd. Hawdd 'u brifo. Brifo'n hawdd.

3

Mae gen i biti dros y buchod. Er fod pawb yn cydnabod mai nhw ydi'r creaduriaid clysa o'r holl anifeiliaid welwch chi ar y buarth, toes ganddyn nhw mo'r un rhyddid â'r gweddill ohonan ni i fynd a dŵad. Nid fod gan unrhyw anifail ryw *lawar* o ryddid mewn lle fel hyn. Bu bron inni â'i gael o, yn'do, pan gychwynnodd Squealer y chwyldro enwog hwnnw dros hanner canrif yn ôl bellach. Does 'na ddim byd tebyg i hynny wedi digwydd na chynt na chwedyn. Mae pawb fel tasan nhw wedi colli'r awydd i drio newid dim ar ddim yn ddiweddar. Pawb wedi meirioli. Dim hannar gymaint o wrthryfela ag y bydda 'na. Be 'dio, dudwch?

Ond tydi'r gweddill ohonan ni ddim hannar mor gaeth â'r fuwch druan. Allan yn pori o fora gwyn tan nos nes ma'i phwrs hi'n gwegian dan bwysa'r llefrith, yna cerddad yn fyddin ufudd i'w godro'n fecanyddol unig ddwywaith y dydd. Maen nhw'n cael eu curo'n amlach na'r gweddill ohonan ni hefyd. Os nad ydyn nhw'n dŵad yn daclus fel mae'r mistar 'i angan mae'r ffyn yn dŵad allan, a tydyn nhw ddim yr anifeiliaid cyflyma dan wynab haul daear. Braidd yn ara' ydi'r fuwch, ym mhob ystyr y gair, mae'n rhaid cydnabod, ac anodd iawn ydi arni felly i osgoi blas ei fileindra.

Ond welish i 'rioed monyn nhw mor llawdrwm hefo'u ffyn ar unrhyw fuwch ag y buon nhw hefo Ponty druan yn y winllan yr adeg hynny. Mochyn oedd Ponty. Mochyn mawr rhadlon oedd yn dalp o gariad a thynerwch. Anodd i chi gredu hynny siŵr o fod; rhaid ichi gymryd fy ngair i am hynny. Doedd o mond wedi mynd yno i chwilio amdana i, ac ar ôl cyrraedd wedi methu maddau i flasu rhyw un neu ddau o'r afalau seidir melys oedd yn madru ar y glaswellt. Fiw i'r anifeiliaid fentro i'r winllan, yn enwedig y moch. Ac mae bwyta o ffrwyth y canghennau yn anfaddeuol. Dim ond cosb lem sy'n aros y sawl sy'n mentro'r ffasiwn hyfdra. Roedd y cŵn wedi cyfarth a Trygar y gwas wedi dŵad yno ar ei union hefo'r mistar, ac fe'i curwyd o'n ddidrugaredd. Un dewr oedd Ponty. Ddangosodd o ddim i'r cnafon 'i fod o mewn poen. Mi gerddodd mor urddasol ag erioed hyd lwybrau'r hen fuarth 'cw. Ond mi wyddwn i faint oedd o'n 'i ddiodda yr adag hynny, ac am wythnosa wedyn mi fu Ponty mewn artaith wedi'r gurfa honno.

Roedd hynny ymhell cyn i Morgan a'i frodyr gael eu geni, a doedd Ponty ddim yr un mochyn wedi'r pnawn hwnnw yn y winllan. Roedd o'n dawedog iawn a doedd o ddim yn bwyta fel y buo fo. Roedd o'n colli pwysa fesul diwrnod a doedd hynny'm yn arwydd da. Tydi mochyn sydd yn pesgi ddim i fod i deneuo fel y gwnaeth Ponty. Fuo fo'm byw yn hir iawn wedyn. Mi wydda fod y sgrifen ar y mur ers sbel, wrth gwrs. Mae'r anifeiliaid sydd i fynd i'r lladd-dy'n dod i wybod am 'u tynged yn hwyr neu'n hwyrach. Y cŵn fel arfer sy'n cael gwybod gynta pwy sydd i fynd. Tydi Trygar ddim yn llyfu 'i wefla cyn deud wrthyn nhw siŵr o fod. A buan iawn wedyn bydd yr ieir wedi cael yr hanas ac wedi cario'r stori fel lli'r afon hyd y lle 'ma.

Welodd o mo'i feibion yn cael eu geni hyd yn oed. Tasa Ponty wedi bod o gwmpas hwyrach y bydda fo wedi medru cadw cow ar betha. Wedi medru egluro'n well na mi wrth yr anifeiliaid eraill nad oedd gan Morgan mo'r help am y ffordd yr oedd o'n cael ei drin. Nid ei ddewis o oedd cael yr holl sylw yma. Ond *doedd* Ponty ddim yma. Roedd o wedi mynd i'w dynged greulon, fel y bydda'n rhaid i'r gweddill ohonan ni neud ryw ddiwrnod. Pawb ond y cŵn. Fiw ichi sôn am ddifa ci. Dwi wedi gweld dynion mawr cryfion yn 'u hoed a'u hamsar yn beichio crio wedi i'w cŵn farw. Wedi colli mwy o ddagra na tasan nhw wedi colli un o'u hanwyliaid eu hunain yn aml iawn.

Ac roedd Trygar yn hoff o'i gŵn, yn eu haddoli nhw hyd yn oed. Yn byw iddyn nhw. Yn cysgu hefo nhw.

Yn y daflod uwchben y beudy roedd Trygar yn cysgu fel y bydda gweision yn 'i neud yn yr hen ddyddia. Roedd Mr a Mrs Prydderch wedi ei hailwampio'n nyth bach digon cysurus iddo. Ac yno hefyd y cysgai'r cŵn. A chyn i Morgan gael ei fabwysiadu gan Mali dyma'r statws uchaf posib i unrhyw anifail ar unrhyw ffem yn y wlad. Cysgu hefo'i fistar. Ond rŵan fod Morgan yn cael ei bowlio mewn pram, ei fwydo hefo potal a chysgu ar garreg yr aelwyd mewn dillad dyn, buan iawn y plannodd eiddigedd ei hedyn pigog yn y cŵn. Does ryfadd felly mai nhw ledaenodd y gwenwyn, ac mi gydiodd fel chwyn yn chwalu drwy ardd wedi ei hanwybyddu.

★ ★ ★

Pam yr oeddan nhw'n ei galw hi'n winllan, dyn yn unig a ŵyr. A hen winllan digon shabi oedd hi pa'r un bynnag.

Doeddwn i, na gweddill yr anifeiliaid, ddim yn dalld be goblyn oedd yr holl ffŷs. Roedd y gwair yno'n cael llonydd i dyfu'n flêr, dim hannar mor dwt â'r ardd gefn lle roedd Mrs Prydderch yn plannu'i bloda, a doedd neb o'r teulu'n mynd ar 'i chyfyl hi bron o un pen blwyddyn i'r llall. Perllan fyddwn i wedi'i galw hi, ond gan fod ganddyn nhw ryw 'chydig goed gwinwydd wedi'u plannu yno rhoddwyd teitl fymryn yn grandiach i'r lle. Ac roedd hynny'n ddealladwy falla. *Roedd* yna ffermydd eraill yn yr ardal oedd yn berchen ar berllan fechan. Ryw sgwaryn o dir wrth dalcen y tŷ fydda fo fel rheol, ac ynddo ryw bump neu chwech o goed afalau a dwy neu dair coeden eirin. Perllan. Roedd gan hyd yn oed ambell dŷ go nobl yn y pentref ei berllan. Felly fe godwyd tŷ gwydr ym mherllan Rhydlasau, a phlannwyd ynddi winwydden, ac fe'i galwyd hi felly'n winllan.

Ond i fod yn deg â theulu Rhydlasau, roedd y winllan wedi bod yno ymhell cyn iddyn *nhw* gyrraedd, a gwinllan oedd hi wedi bod o'r cychwyn am a wyddom ni. Ond, am ryw reswm dirgel, *doedd* hi ddim yn cael hanner gymaint o sylw â gweddill yr erwau gleision ar y fferm. Cofiwch chi, tydi afalau ddim angen gymaint o sylw â hynny. Maen nhw yno'n ffyddlon bob blwyddyn heb alw ar i neb neud fawr o sylw ohonyn nhw. Hen beth triw iawn ydi'r afal. Mae iddo rinwedda lawar. Mi ddyliach neud mwy o'r afal.

A be oedd wahaniaeth fod llain fach fatha hon wedi gordyfu ryw fymryn? Toedd gweddill y fferm fel pìn mewn papur ac yn cael ei rhedeg fel watsh dan lygad barcud ei pherchennog balch? A falla bod angan ryw gongol go flêr ar bob man tasai'n dŵad i hynny. Digon posib fod yr erw fach hon o dir yno i ddangos pa mor gymen a threfnus oedd gweddill y fferm. Mae rhyw fymryn o flerwch bwriadol yn gallu dyrchafu popeth arall yn eich llygaid chi weithia. Ond mi wn i un peth yn sicr. Mi wn i'n iawn mai'r llain bach hwn o dir oedd dechrau'r diwedd i Morgan druan, ac i'r teulu i gyd tasai'n dŵad i hynny. Roedd 'na drychinebau lu yn aros tylwyth Rhydlasau yn y misoedd i ddod. Mae'n dda weithia na tydan ni'm yn gwbod be sy o'n blaena ni, fel basa'r ieir yn 'i ddeud hyd at syrffed.

4

Dyn syml iawn oedd Trygar y gwas ar un olwg. Codi, godro'r gwartheg, bwydo'r ieir a'r moch, corlannu'r defaid, carthu'r beudy, disychedu yn y Bedol a chysgu yn ei dipyn gwely wedi lludded y dydd oedd y patrwm fwy neu lai'n feunyddiol. Prin iawn oedd ei sgwrs a phrinnach fyth ei amynedd hefo'r anifeiliaid. Doedd rheg ddim yn bell o'i dafod, a dyrnod a chic yn dod yn haws iddo na mwytho a chofleidio. Ar wahân i'r cŵn, wrth gwrs. Roedd gan Trygar feddwl y byd o'i gŵn. Roedd ganddo fwy o feddwl o'r cŵn na neb.

Mi fuo ganddo fo gariad ar un adag. Dwi'n ei chofio hi'n dŵad yn ôl hefo fo o'r Bedol ryw unwaith neu ddwy ym mherfeddion y nos. Y ddau ohonyn nhw'n rowlio hyd y buarth a hitha'n glana chwerthin ac yn deffro'r cysgwrs 'sgafna yn ein plith ni. Un noson roedd 'na fymryn o ola lleuad yn dal ei sgert felen hi yn ei lewyrch ac mi gwelwn i o'n gwthio'i hun arni braidd yn drwsgwl. Oedd o i weld yn glogyrnaidd iawn i mi, ond wedyn, pwy dwi i ddeud nad felly mae dyn wedi caru erioed. Dwi ddim yn gwbod. Ond yn sicir doedd y ferch ddim i weld yn mwynhau ryw lawar. Falla na tydyn nhw ddim i fod i fwynhau wrth gwrs, falla mai peth felly ydi caru yn eich tiriogaeth chi. Y dyn yn cael a'r ferch yn derbyn. Ond mi wn i na ddaru hi ddim galw'n amal iawn ar ôl hynny. Mewn gwirionedd, unwaith ddaru hi alw wedi'r noson honno. Mi gwelish i nhw'n baglu eu ffordd i fyny i'r daflod ac mi clywn i nhw'n ffraeo yno am sbel. Mi welwn gysgod y ddau ar y llenni yn stafall Trygar ac mi glywish i sgrech. Yn fuan wedyn mi redodd y ferch i lawr y grisia ac i'r tywyllwch yn beichio crio. Welson ni byth mo'ni wedyn. Mond y cŵn oedd yn cael y fraint o fynd i'w stafall o wedi'r noson honno. Doedd y plant byth yn mynd ar gyfyl y lle. Dwi ddim yn meddwl i mi weld yr un ohonyn nhw'n mynd i fyny 'no 'rioed. Doedd Trygar ddim yn ddyn plant.

Nel oedd yr hyna o'r ddau gi. Hen ast ddigon sarrug 'di Nel a chanddi ddannadd isa brofodd yn ddraenan yn ystlys sawl ymwelydd diarwybod i fferm Rhydlasau. Ond roedd hi'n ffyddlon iawn i'w mistar. Mae cŵn wedi closio at ddyn ers rhai canrifoedd bellach. Rhyw dynfa na fedrwn ni weddill yr anifeiliaid mo'i dirnad. Doedd hi ddim felly o'r cychwyn, wrth gwrs. Pryd digwyddodd y dofi mawr, does neb yn cofio. Pryd troth y rheibiwr danheddog yn ufudd was i'r homosapien, does 'na neb yn unman a ŵyr. Pa bwerau clyfar ddefnyddiodd o, tybad, i dorri asgwrn cefn y bwystfil, i'w ddofi a'i dawelu?

Fe ddarganfuwyd blaidd, meddan nhw, yn gorwedd mewn bedd hefo dyn oedd wedi bod yn tramwyo'r hen ddaear 'ma dros bedair mil o flynyddoedd yn ôl, a hwnnw, yn ôl rhai, oedd yr arwydd cyntaf fod dyn a'i gi yn agosáu. Pedair mil o flynyddoedd o wasanaethu ar ei anghenion o, o redag a rasio i'w blesio fo, o gorlannu ei ddefaid ac o hela ei lwynog, o warchod ei diriogaeth ac o estyn ei slipars, o lyfu ei din o os oedd angen.

Ond pwy ydw i i farnu, a fy mab fy hun wedi cychwyn rhyw berthynas newydd rhwng anifail a'i feistr? Ond doedd hi'm yn berthynas a barodd yn hir iawn, gwaetha'r modd.

★   ★   ★

Un swnllyd oedd Sam. Pan anwyd o roedd o'n beth bach digon hoffus a phawb yn dotio'i weld o'n erlid y pryfetach oedd yn hofran uwch y carthion tu allan i'r beudy. Yn y dyddiau cynnar roedd hynny'n destun diddanwch mawr i bawb ar y buarth, a Mali'n ei fwytho bob cyfla gâi hi pan nad oedd Trygar yno i gadw llygad a mynnu ei sylw. 'Tai o ddim yn ddisgyblwr mor llym hefo Sam, bosib iawn mai fo fyddai'n cael ei bowlio hyd y llwybrau mewn dillad bach glas ac nid Morgan. Ond buan iawn y dysgodd Nel iddo sgyrnygu ei ddannedd i warchod ei diriogaeth a stampio'i awdurdod ar ei filltir sgwâr, a chyn bo hir roedd Trygar a Nel a Sam yn driawd na feiddiech chi mo'u croesi ar fuarth Rhydlasau. Un chwiban gan Trygar ac fe ddeuai'r ddau mor ddeddfol â'r dydd at droed eu meistr i aros ei orchymyn.

Erbyn hyn mae Sam yn rheoli'r defaid yn well na Nel, ac mae'r ddiadell yn dod fel mintai o filwyr ufudd i'w corlan dan ei lygaid barcud. Er mor wrthun yw'r weithred, fedrach chi ddim llai nag edmygu ei symudiadau meistrolgar pan fydda fo wrthi'n ochrgamu'n chwimwth hyd y llethra 'cw weithia. Mae'r dyn a'i gi yn dalld ei gilydd i'r dim. Mae Trygar a Sam mor agos bellach, a Nel yn simsanu wrth ei weld yn ennill mwy a mwy o ffafrau gan Trygar. Dyna pam mae hi mor sarrug, efallai, ac yn closio fwy at ei meistr fin nos am waddod ei sylw meddw.

5

Does 'na fawr o fendio'n digwydd mewn lle fel hyn. Dim yn ddiweddar beth bynnag. Dim ers i'r hen aflwydd gael gafael ynddan ni. Mor hawdd 'di marw. Mor hawdd 'di lladd, wrth y miloedd os ydach chi isio. Felly ma' dyn wedi bod erioed, o'r cychwyn cynta. Os 'dio'n ama fod 'na rwbath bach o'i le, yna mae'n haws 'i ddifa fo na'i fendio fo. Anifail rheibus iawn ydi dyn.

Mi fedrwch weld Ynys Môn o ben y grib. Mae hi'n olygfa i'w rhyfeddu. Yno roeddan ni i gyd yn sefyll yn syfrdan y noson y cododd y mwg du dros Gaerwen. Roeddan ni wedi clywed ryw 'chydig ddyddia 'nghynt fod y gyflafan ar ddod. Ond doeddan ni ddim wedi dychmygu am eiliad y bydda hi'n ddiwrnod mor ddu ag y troth hi allan i fod. Rhesi ar resi o fflamau'n pigo'r machlud a'r mwg dudew yn beichiogi'i lwybr yn araf fel wal rhyngom ni a'r haul.

Doedd yr ieir ddim yno. Roedd hi'n rhy bell ganddyn nhw i gerdded wir. Tydyn nhw ddim yn crwydro'n bell iawn o gysgod y buarth os medran nhw beidio, a beth bynnag, doedd a wnelo'r clwy ddim byd â nhw. Doedd o ddim yn mynd i'w cyffwrdd nhw, felly pam dylian nhw boeni? Mae 'na rai'n tueddu i fod felly'n does? 'Pam dyliwn i boeni?' ma' nhw'n 'i ddeud. ''Dio'm byd i neud hefo fi.'

Doedd y clwy ddim yn debygol o gyffwrdd â Caron

chwaith, ond fo arweiniodd y fintai i ben y grib. Stalwyn coch oedd Caron, ceffyl yr oedd Llinor, y ferch ganol, wedi ei gael yn anrheg ben-blwydd er mwyn cael mynd i neidio yn y sioea. Roeddan ni i gyd yn edmygu Caron. Er ei fod ynta mewn gwirionadd wedi ei ddofi a'i dorri, roedd o'n dal i gadw urddas anifail. Yn wahanol iawn i'r cŵn, doedd Caron ddim hanner mor agos at ei ddyn ag yr oedd Nel a Sam. Roedd yn mwynhau rhyw fymryn o faldod rŵan ac yn y man. Ond cadwai rhyw bellter, serch hynny. Gochelai rhag rhwbio sgwydda'n rhy agos i ddyn.

Doedd y cŵn ddim yno ar ben y grib chwaith. Ond yr hyn oedd yn fwy o achos gofid imi na dim oedd nad oedd Morgan yno. Roedd Mali'n cael ei phen-blwydd ac ynta wedi ymuno yn y dathlu. Ddaru hynny ddim gneud lles i'w enw o fel y gallwch chi ddychmygu. Yno roeddan ni'n syfrdan yn edrych ar yr alanas. Neb yn deud gair. Dim un ebwch. A'r mwg yn bochio'i lwybr yn araf yn chwaon y gwanwyn i gyfeiriad yr Wylfa.

Caron benderfynodd ei bod yn amser inni droi am adra. Mi wydda mae'n siŵr y bydda'r amlosgi'n parhau am wythnosa. Nid tân oedd hwn i aros yno'n gwylio'r marwydos yn araf bylu'n lludw llwyd.

'Dowch!' medda fo, yn 'i lais addfwyn, ond eto hefo digon o awdurdod i bawb ohonan ni droi fel un. Wedyn, yn dipyn tawelach, fel na chlywodd neb o'r gweddill, mi sibrydodd yn fy nghlust, 'Biti na fydda Morgan wedi medru bod hefo ni.'

'Ydi *ma'i*'n biti,' meddwn inna. 'Biti, biti, biti… '

★ ★ ★

Mi gafodd Morgan y sylw rhyfedda am sbel, a'r cynddeiriogi oedd yn mud-ferwi hyd y buarth dipyn yn fwy amlwg erbyn hyn. Mi fydda'r cŵn amball waith wedi methu madda i roid brathiad sydyn iddo fo wrth iddo fo basio ar ei ffordd yn ôl i'r twlc. Y chwyrnu a'r 'sgyrnygu wedi mynd yn drech na nhw a'r dannadd wedi gweithredu cyn i'r meddwl resymu. Ond waeth pa mor fychan yr archoll mi fydda 'na falm ar y briw cyn nos bob gafa'l, a Mali'n maldodi'r creadur dolurus yn fwy cariadus na sawl mam hefo'i phlentyn ei hun.

Dyna pryd yr es inna i ama' fod teyrngarwch Morgan yn dechra troi'n fwy at 'i fam faeth na'i fam 'i hun ar brydia. Mi fydda'n swnian llai a llai am hanas Pryderi a'i foch nag y bydda fo ac yn mwydro mwy am betha na wyddwn i nemor ddim yn eu cylch.

'Adda oedd y dyn cynta, 'sdi Mam,' medda fo un noson ola leuad pan oedd y ddau ohonan ni wedi bustachu i ben y grib i edrach ar y swnt wedi'r machlud. Y môr fel ffrog sidan ddu, a'r mân donnau'n dal llewyrch y lloergan ac yn wincio fel mwclis arian arni. Ma' dyn wedi llunio campweithia hefo sidan a mwclis, ond chreodd o 'rioed ddim byd clysach na hyn.

'Duw greodd y byd 'sdi,' medda fo wedyn, yn llawn argyhoeddiad.

'Ia wir?' meddwn inna, a'm llais yn llawn amheuaeth. 'Pwy ddudodd hynny wrthat ti, Morgan?'

'Mali ddudodd, cyn swpar neithiwr. Nath o fo i gyd mewn chwe dwrnod a wedyn gath o napan.'

'Napan?'

'Ia. Cysgu'n sownd nath o ar y seithfad dydd.'

'O, wela i.'

'Oedd o 'di blino fel dwn i'm be.'

'Oedd o wir?'

33

'Cysgu 'sa chditha 'fyd tasa chdi 'di gneud yr holl fynyddoedd 'na, a'r anifeiliaid 'na a betha.'

'Ia debyg.'

'Ond ma' Mali'n deud 'i fod o'n hannar difaru erbyn hyn.'

'Difaru?'

'Ia. Ma' dyn 'di dechra gneud llanast o betha erbyn hyn a tydi Duw ddim yn rhy hapus am y ffor' mae o'n bihafio.'

'Pam hynny, Morgan bach?'

'O *dwi*'m yn gwbod hynny nac'dw! Nath hi'm esbonio hynny,' medda fo wedyn, braidd yn flin wrtha i am ofyn. Doedd fiw cwestiynu'r hyn yr oedd Mali'n 'i ddeud 'di mynd. Tydach chi ddim yn cwestiynu'r sawl sy'n 'ych mwytho chi ac yn mendio'ch doluria chi.

'Ges i freuddwyd neithiwr mod i'n medru fflio,' medda fo wrth edrych ar yr hwyaid yn hedfan yn fforchiog drwy grombil y lleuad tua'r deheudir.

'Dewadd, do?' meddwn inna, gan wenu i mi fy hun. 'Oeddat ti'n hedfan yn uchel?'

'Yn uwch na'r coed,' medda fo wedyn, fel tasa fo'n byw y profiad. Fel tasa fo'n wir bron. 'Yn uwch na'r beudy, a'r cymyla.'

'Oedd hi'n braf yno?' ofynnish inna, heb neud fawr o sylw o'r peth.

'Doedd 'na'm cŵn yno, Mam,' medda fo'n ddistaw. Mi waedodd 'y nghalon i drosto fo'r eiliad honno, mond fel ma' calon mam yn gallu gwaedu am wn i.

'Nefoedd ma' nhw'n galw lle felly 'sdi,' medda fo wedyn.

'Ffasiwn le 'di hwnnw felly, Morgan?' holish inna, i weld be fasa'i atab o.

'Lle brafia'n byd 'di hwnnw, Mam,' medda fo, heb lyfu'i wefla. 'Lle nad oes 'na'm cŵn yn brathu na ieir yn deud "bradwr". Lle felly ydi nefoedd.'

'Na dynion yn byta cig moch?' fentrish inna'n reit slei. Atebodd o ddim. Mond dal i edrych ar yr hwyaid yn diflannu i ddüwch y nos a'r sidan du yn lapio amdanyn nhw fel amdo'n cau am y meirw.

'Byta afal nath o,' medda Morgan ar draws fy myfyrdoda inna.

'Pwy?'

'Adda. Dyna nath o medda Mali. A tydi Duw ddim 'di medru madda iddo fo'n iawn byth ers hynny.'

'Madda i bwy, ngwas i?'

'I ddyn 'de! Dyna pam mae o'n gorfod trin y tir 'i hun rŵan medda Mali. Dyna pam ma' Trygar a Mr Prydderch yn ymlafnio i gadw'r 'ma lle i fynd, 'cofn i'r drain a'r mieri gym'yd drosodd. Duw oedd yn gneud y garddio i gyd 'i hun bach cyn hynny ti'n gweld. Ond rŵan ma' raid i ddyn dorchi'i lewys am fod Adda wedi byta'r fala oedd Duw wedi'u gwahardd.'

'Ond pam oedd o wedi'u gwahardd nhw iddo fo'n y lle cynta ta, Morgan bach?'

'O dwi'm yn gwbod nac'dw! Falla'i fod o'n cadw rheiny iddo fo'i hun. Raid i Dduw fyta rwbath hefyd, cofia, Mam. Ne' falla bydd o'n marw!'

Dwn i ddim lle oedd 'i feddwl o wedi dechra mynd erbyn hyn. Roedd yr holl sôn 'ma am Dduw wedi dechra'i boeni fo'n ofnadwy, a doeddwn i ddim yn 'i weld o'n gneud dim lles iddo fo chwaith. Ma' isio bod yn ofalus iawn wrth drafod duwia, petha i'w trin hefo cyllall a fforc ydyn nhw.

'Rhaid ti beidio rhoid coel ar bob dim ma' Mali'n 'i ddeud wrthat ti, cofia,' meddwn i, gan drio peidio swnio'n rhy lawdrwm ar 'i eilun newydd o.

'*Mae* 'na fala yn y winllan, 'does Mam,' medda Morgan, hefo ryw asbri newydd yn 'i lais erbyn hyn.

Mae'r winllan wedi bod yn lle dengar iawn i'r moch ers amser maith fel y gwyddoch chi'n rhy dda. Yno mae'r afalau aeddfed wedi gorbwyso'u heinioes fer ar y brigau ac wedi ildio'u lle ar y canghennau simsan sy'n araf hydrefu dan ein trwynau. Mae'r winllan yn garped o afalau ym mis Medi, ac mae aroglau'r ffrwythau rŵan fel mêl yn yr awel hwyrol ddiwedd haf. Ond mae llidiart ar y berllan. Llidiart i gadw'r moch allan. Dyn piau'r afalau rŵan. A dyn a'ch helpo chi os byddwch chi'n ddigon hy i fentro i mewn.

'Paid ti byth â mynd i fan'no, ti'n 'y nghlŵad i?' meddwn i wrtho fo'n syth. 'Ar boen dy fywyd, paid â mentro'n agos i'r winllan.'

'Pam?' medda Morgan, hefo tinc o chwilfrydedd yn 'i lais sy mond i'w glywed pan fyddwch chi'n trafod y gwaharddedig. 'Pam na cha i fynd i'r winllan, Mam?'

'Tydi moch ddim i fod i fynd i'r winllan, Morgan, ti'n 'y nghlŵad i?'

Ond mi wyddwn i ym mêr fy esgyrn mai mynd fydda'i hanas o'n y diwadd. Roedd o'n cael mynd i'r tŷ, roedd o'n cael mynd i'r ardd. Yn wahanol i'r anifeiliaid pasgedig eraill i gyd, roedd Morgan yn cael crwydro lle y mynnai. Pam felly na châi fentro i'r winllan?

6

Hwyrach y byddwch chi'n deud mai breuddwyd oedd hi. Eraill yn deud mod i wedi denig i'r winllan ac wedi cael gormod o'r afalau seidir ac wedi bod fymryn yn feddw. Falla bydd 'na rai yn deud mai gormod o ddychymyg sydd gen i, ac amball un yn honni mod i wedi dechra mynd yn fyddar. Amball un falla'n ddigon hy i ddeud mod i'n dechra colli arni. Ond i mi, mae'n stori wir. Ac felly dwi'n mawr obeithio y credith y rhan fwya ohonach chi'r hyn sydd gen i i'w ddeud am y noswyl Nadolig ryfedda 'rioed. Tydwi'm yn 'i ddeud o er mwyn creu stori dda, na chwaith er mwyn ichi feddwl fod Morgan yn glyfrach mochyn nag yr oedd o mewn gwirionadd. Dwi mond yn 'i ddeud o er mwyn ichi gael y stori'n gyflawn. Ac fel y dudish i wrthach chi, mae cael y stori'n gyflawn yn bwysig iawn.

Roedd hi'n tynnu at y Nadolig erbyn hyn a'r ieir yn diflannu wrth y dwsin oddi ar wyneb y buarth, ac oddi ar wyneb y ddaear hefyd mae'n eitha siŵr. Doedd yna ddim twrcwn yn Rhydlasau, ond mae 'na alw mawr am hwyaid a ieir fel mae'r gaeaf yn cau amdanon ni bob tro. Mae cynneddf dyn yn y tywydd oer yn ei dynnu fwy am fraster a saim, a llai o ffrwythau ffres yn y farchnad yn ei ddenu fwyfwy at siop y bwtsiwr. Arogl rhostio yn ei ffroenau'n dod â dŵr i'w ddannedd. Mae hi'n gyfnod o ddathlu a gloddest – i ddyn. Ac o ganlyniad roedd 'na lai o hen siarad ar y buarth a phawb yn poeni am ei grawen ei hun i falio 'run botwm corn am ryw fymryn o fochyn mewn llewys a llodra. Roedd y cynaeafu wedi bod yn dda, ac felly roedd 'na ddigon o fwyd i borthi ac i besgi. Fferm lewyrchus iawn oedd fferm Rhydlasau, ac felly roedd 'na ddigon o fodd i ddathlu'r Nadolig mewn steil. Winciai'r goeden ei bodlonrwydd o ffenest y parlwr gora, a'r anrhegion wedi'u gosod yn fwriadol flêr o dan ei changhennau, yn drwch o focseidia o bob lliw a llun, i gyd wedi eu lapio â gofal a chariad a phapur drudfawr. Roedd ambell betrisen yn hongian yn y bwtri a rhesaid o bwdina plwm yn eu cadachau mwslin yn beli gwynion taclus ar y silff uwch eu pennau. Roedd popeth mor drefnus, a Mrs Prydderch yn ei helfen yn llawn ffwdan ers mis a mwy yn trefnu'r danteithion.

Erbyn hyn roedd Morgan ynta wedi dechra magu dipyn o flonag hefyd. Yr hufen a'r siocled a'r diogi yn amlwg yn gadael eu marc ar ei gorpws meddal. Roedd o wedi tyfu'n rhy dew i'w ddillad gleision a bu'n rhaid morol am rai newydd. Ac fel pob plentyn sy'n hoffi chwara hefo dolia, doedd Mali ddim am fodloni ar ddillad oedd yn union fel y rhai cynta. Roedd angen newid mymryn ar betha. Y balaclafa wedi troi'n fonat bach pinc a mymryn o les gwyn hyd ei ymylon, a'r dillad gleision wedi mynd yn llawer mwy blodeuog a llaes. Yn wir, mi dybiach o edrych arno fod Mali'n troi Morgan yn Marian yn raddol bach, a doedd ganddo fynta ddim cwyn yn y byd am hynny i weld. Roedd o'n ddigon hapus mond iddo ddal i gael ei faldod a'i ddogn dyddiol o gariad.

Roedd y rhwymyn rhwng y ddau yn tynhau. Y cariad

yn tyfu'n rhywbeth na fedrach chi ddim llai na dotio arno fo 'taech chi ddim yn fam go iawn i'r creadur. Roedd Morgan yn troi'n rhywun arall o flaen fy llygaid a fedrwn i neud dim i'w rwystro fo. A bod yn onest hefo chi doeddwn i ddim isio'i rwystro fo. Tra pery'r cariad yma i dyfu, tra oedd y rhwymyn yma'n cadw Morgan yn gannwyll llygaid ei feistres, roedd o'n saff. Roedd hi'n Ddolig, a Morgan oedd yr unig anifail bwytadwy oedd yn saff yn Rhydlasau.

★ ★ ★

Mae'r Nadolig yn dymor y gwyrthia fel y gwyddoch chi ddynion yn well na 'run ohonan ni. Mae 'na ryw hud rhyfadd dros y lle 'ma ar adega yn ystod mis Rhagfyr. Pan fydd eira ar goed y berllan a'r nen yn un clwstwr o sêr, dwi'n dechra meddwl fy hun am 'greawdwr'. Yn dechra simsanu a meddwl o ddifri fod yna rwbath uwchlaw hyn i gyd i fod wedi creu'r ffasiwn brydferthwch. Mi welwn ni'r eglwys o lidiart cae pella, ac ar noson dawel, fel y noson ryfedd honno, mi allech chi glywed y carolau plygeiniol yn hongian ar yr awel. Rydw i'n reit hoff o'ch carola chi. Yn enwedig y rhai hen, hen. Fedra i afael ar ryw lun o wirionadd pan fydda i'n 'ych clywed chi'n canu'r rheiny. Dwn i ddim beth ydio'n iawn. Ond wedyn, dwi'm yn meddwl fod *neb* yn gwbod yn iawn beth ydio. Mae stori'r geni yn hudo pob un, er mor rhyfedd ydi hi. Ac mae canu'r plygain yn gafael yndda i. Mae o'n ganu sydd wedi dod o'r pridd yn rhwla. Mae 'na ryw wirionadd yn ei seiniau. A phan mae'r sêr yn wincio'u cymeradwyaeth ar y llwydrew sy'n drwch ar y canghennau, yng nghanol y garol a'r golau, mi fydda inna isio credu mewn … rhwbath.

Bore cynnar, tywyll felly oedd hi pan gerddish i am y beudy i dystio i'r 'wyrth'. Doedd Mali ddim wedi mynd i'r plygain gan fod y plant wedi cynnal eu gwasanaeth yn y capel y noson cynt. Methodistiaid oedd y teulu, ond fod pawb yn mynd i'r eglwys fore Nadolig. Dwi 'rioed wedi deall hynny'n iawn. Pam mae dyrnaid fan hyn a llond llaw fan acw yn codi adeiladau gwahanol i addoli'r un Duw? Ond *mae* 'na waith dalld ar ddyn, ac nid rŵan ydi'r amser i fynd ar ôl hynny.

Er cymaint y bu'r swnian i gael bod yn Mair, seren oedd Mali yn y cyngerdd y flwyddyn honno. Efallai fod ganddi'r ddawn i gael ei ffordd ei hun ar yr aelwyd, ond nid felly yn y capel. Roedd mistar ar mistar Mostyn yn fan hyn fel pob man arall, a seren oedd Mali. Roedd hi wedi canu am sêr y nos yn gwenu nes roedd hyd yn oed yr hyn oedd yn weddill o'r ieir yn nabod y diwn. A deud y gwir, mi allech daeru fod ambell un yn medru clwcian ryw dameidiach o'r alaw'n y diwadd. Ond falla mai nghlust i oedd yn chwara mig hefo mi, does wbod. Ond mi garwn i'ch sicrhau chi fod fy nghlust i wedi clywed a'm llygaid i wedi gweld y wyrth ddigwyddodd yn y beudy y bore rhyfedd hwnnw ym meudy Rhydlasau.

Wedi mynd at y cafn yr oeddwn i i chwilio am ryw fymryn o weddillion swper o'r noson cynt gan mod i ar fy nghythlwng pan godais i, a fydda'r mistar ddim yn ôl o'r eglwys am sbelan eto. Doedd Trygar ddim wedi mynd yn agos i'r gwasanaeth wrth gwrs. Doedd o ddim wedi twllu'r lle ers i mi fod yn cofio. Ond roedd y stremp o chwydfa a adawodd o ar waelod y grisia y noson cynt yn arwydd clir fod Trygar wedi bod yn dathlu gwyrth y geni hefyd yn ei ffordd ddihafal ei hun, ac na fydda fynta ddim o gwmpas i'n bwydo ni y bora hwnnw chwaith.

Roedd Mali wedi fy neffro'n blygeiniol i ddod i nôl Morgan i dreulio'r Nadolig yn y tŷ. Doedd Brengain, y forwyn bach, fawr o gwmni i neb, yn enwedig ar fore Nadolig. Un digon di-ddeud fu Brengain erioed, ond bore heddiw roedd stwffio tair o hwyaid tewion a rhostio'r cig eidion a stemio'r pwdin a phlicio'r llysia yn ormod o gowlad iddi fedru rhoi sylw i blentyn bach cynhyrfus hefyd, heb sôn am hwch ar 'i chythlwng. Dyna pam roedd Mali wedi ymlwybro i lawr tua'r twlc yn gynharach na'r arfer. Doedd hi ddim i fod i agor ei hanrhegion nes y deuai'r teulu adra o'r eglwys, ac felly roedd ganddi awr hir drybeilig i'w threulio cyn y cynnwrf mawr.

Roedd y cafn yn wag fel y gellwch chi fentro. Llygod a chadnoid wedi gwledda ar hynny o sbarion oedd wedi eu gadael. Ac wrth snwyro am damaid o weddillion mi glywn i ganu'n dod o'r beudy,

'Sêr y nos yn gwenu,
Clychau llon yn canu,
Dewch i breseb Bethlehem
I weld y baban Iesu...'

Drwy gil y drws mi welwn i Mali'n eistedd a'i chefn ata i ar y stôl odro. Roedd hugan las dros ei phen ac roedd hi'n amlwg yn canu'n angerddol i rywun oedd yn gorwedd yn y preseb. Mi wyddwn i o'r gora pwy oedd yno wrth gwrs, ond roedd yn rhaid imi gael mynd yn nes i weld yn iawn, i gael gwybod i sicrwydd mai Morgan oedd y baban yn y preseb. Roedd yn rhaid imi gael gweld â'm llygaid fy hun. Oni fasa pawb wedi gneud yr un

41

peth? Rhois gam neu ddau yn agosach, ac yno'n gorwedd yn ufudd, wedi'i rwymo mewn cadachau, roedd fy mab bychan yn edrych i fyw llygaid ei 'fam'. Peidiodd y canu ac mi allwn daeru am eiliad fod Morgan wedi gwenu ar Mali. Nid fel y byddwn ni foch yn gwenu ar ein gilydd. Drwy symud ein clustiau y byddwn ni'n rhoi gwên, fel y rhan fwyaf o'r anifeiliaid. Ond roedd Morgan yn gwenu fel y byddwch *chi*'n gwenu. Roedd o'n wên o glust i glust.

Ond nid dyna'r wyrth. Roedd honno eto i ddod. Yn ei gadachau tlawd a'i breseb gwair fe symudodd ei wefusau ac mi daerwn fy mod wedi clywed sŵn diarth iawn i mi yn dod o'i wefla. Ac eto, doedd o ddim yn ddiarth chwaith. Pan agorodd ei geg am yr eildro roeddwn i'n llawer mwy saff o mhetha. Roedd Morgan yn siarad iaith Mali. Un o'ch geiria chi oedd o! 'Diolch,' medda fo, mor glir ag y gallai unrhyw un o'ch teyrnas chi ei ddeud. 'Diolch yn fawr.' Roedd Morgan wedi ynganu ei eiriau cyntaf yn iaith y dyn.

7

Mae cofio am Morgan tra dwi'n aros yma'n help garw. Mae o'n mynd â fy meddwl oddi ar yr hyn sydd i ddod. Does gen i ddim syniad sut maen nhw'n mynd i'n lladd ni. Does 'na'r un anifail wedi byw i ddeud yr hanas. Dwi'n gobeithio na fydd o ddim yn hir, a dwi'n gobeithio na fydd o ddim yn boenus. Roedd lladd mochyn erstalwm yn weithred gyhoeddus i bawb ar y ffarm ei gweld, yn debyg iawn i'r ffordd y lladdon nhw Morgan. Un wich hirfaith, ddolefus ac afon o waed yn rhedag yn araf o'r llaethdy i'r iard ac yna i'r gwter hefo gweddill y carthion. Mor araf mae gwaed yn rhedag, ac yn ceulo mor gyflym. Gwaed fy mab annwyl i.

Dwi ddim am oedi hefo'r darlun hwnnw'n rhy hir. Dwi am gofio'r amseroedd gora os medra i. Mae'n bwysig cofio'r amseroedd da. Ac *mi* roedd 'na amseroedd da. Er cyn lleied roeddwn i'n ei weld arno, roedd yr oriau mân yn oriau mawr i mi. Roeddwn i'n byw ei brofiadau ac yn rhyfeddu at ei gampau. Beth bynnag fyddai neb arall yn ei feddwl, fedrwn i ddim llai na theimlo rhyw falchder yn llenwi mron wrth feddwl amdano'n meistroli iaith arall. Roeddwn i'n ddigon gwirion i feddwl ar y pryd y byddai hynny'n arbed ei einioes am weddill ei oes. Ond ddaru o ddim, fel y gwyddoch chi'n rhy dda erbyn hyn.

★ ★ ★

43

Nesh i ddim sôn wrtho fo am sbel be o'n i wedi'i weld a'i glywed yn y beudy y bora Nadolig hwnnw a ddaru ynta ddim deud dim byd wrtha inna chwaith. Ond yr hyn oedd yn anodd iawn ei ddirnad oedd, pam na ddaru Mali sôn wrth neb? Tasa ganddi fwji neu barot yna mi fydda pawb yn y plwy yn gwbod erbyn hyn pa ryw eirfa glyfar fyddai wedi tyfu rhwng yr aderyn a'i feistras. Ma' brolio'n rhan annatod o gynneddf dyn, a ddois i byth i wbod yn iawn pam y bu'n rhaid aros tan y gwanwyn nes y dudodd Mali'n y diwadd fod Morgan yn siarad.

Erbyn hynny roedd Llinor yn dŵad allan yn amlach i frwsho a marchogaeth ei cheffyl. Roedd y dyddiau'n 'mestyn a golygai hynny nad oedd Caron yn cael hanner cymaint o ryddid ag a gâi dros yr hirlwm. Roedd Llinor wedi cael ail wynt i fynd i'w gwersi marchogaeth unwaith eto, roedd y coed yn egino, y ddaear yn deffro, a diwrnod y sioe yn dod yn nes. Daeth yr awch i lwyddo fel y deuai'r haul yn nes atom.

Roedd stafall wely Llinor yn blasdar o rubanau roedd hi wedi'u hennill wrth arddangos Caron a gwneud campau hefo fo yn y sioea. Roedd hi hefyd yn llawn o dystysgrifau roedd hi wedi'u derbyn am chwarae'r piano, ac am ganu, ac roedd hi hefyd wedi bod yn frenhines yn y carnifal lleol unwaith a'i lluniau hi yn ei choron ysblennydd hyd y lle ym mhobman. Roedd Llinor hyd yn oed wedi cael bod yn Mair.

Gan Morgan y cesh i'r hanas i gyd wrth gwrs, gan na chafodd yr un arall ohonan ni'r fraint o fynd dros riniog drws Rhydlasau. Fo oedd fy llygaid a'm clustiau rŵan i weld a chlywed am y rhyfeddodau na freuddwydiais i amdanyn nhw erioed o'r blaen. Roedd gen i rŵan fynedfa i weld y tu ôl i furiau cyfrin y tŷ ac i fyd rhyfedd yr homosapien. Mi wyddwn i gryn dipyn am y gegin cynt, gan y bydda Mrs Prydderch yn gadael y drws ar agor yn amal i feirioli dipyn ar wres y gegin, yn enwedig yn yr haf. O'r fan honno y deuai'r arogleuon hyfrytaf a glywais i erioed. Arogl pobi a berwi – ac arogl rhostio. Mi wn i be ydach chi'n mynd i ddeud, ac mae ganddoch chi berffaith hawl *i'w* ddeud o. Rhostio. Tydan ni ddim am wadu hynny, *mae* arogl cig yn rhostio yn arogl ffein i'n ffroena ninna hefyd. Ond mi adawn ni'r ddadl bach yna'n fan'na dwi'n meddwl, am rŵan beth bynnag.

Dipyn o sgolor oedd y mab, Ceidiog. Erbyn hyn roedd o yn y coleg yn astudio i fod yn filfeddyg. Doedd o ddim yn dŵad adra'n amal. Roedd y cwrs yn drwm a'r gwaith wedi dechra mynd yn fwrn arno. Dipyn o gur pen 'ddyliwn i, trio datrys dirgelion anhwylderau'r anifeiliaid i gyd. Creadur clyfar iawn ydi dyn. Yn enwedig dynion sy'n meddwl y medran nhw neud peth felly. A dyna be oedd Ceidiog am fod. Dyn fyddai'n gallu mendio anifeiliaid. Ond pan ddaeth o adra dros y Nadolig mi gafodd y sioc ryfedda pan welodd o Morgan yn cysgu ar garreg yr aelwyd. Mi fuo'n trio rhoi perswâd ar Mali i ollwng ei gafael arno a cheisio'i darbwyllo y gallai moch fod yn greaduriaid peryglus iawn ac yn llawn afiechydon. Yn wir, a Morgan wedi mynd yn dipyn mwy mochyn, doedd 'na fawr o groeso iddo gan neb arall yn y tŷ erbyn hyn chwaith, a phawb yn trio'u gora glas i gael Mali i ddalld mai Ceidiog oedd yn gwbod ora, yn enwedig rŵan a fynta'n y coleg yn astudio anifeiliaid ac yn dalld y petha 'ma. Ond roedd Mali'n daer dros gadw'i 'babi'. Os oedd gan Llinor geffyl roedd yn iawn iddi hitha gael mochyn. Pam ddylia hi fod fel pawb arall beth bynnag? Hen greaduriaid digon ffroenuchel oedd y cathod ac roedd y cŵn yn chwyrnu arni byth dragywydd. Roedd arni ofn ceffylau a doedd gweddill yr anifeiliaid anwes oedd gan ei ffrindiau'n gneud dim byd ond rhedeg ar olwyn mewn caets o fora gwyn tan nos neu edrych yn hurt arnoch chi o'u cartrefi dyfrllyd drwy wydr caethiwus ryw bowlen fregus. Roedd ganddi hi ddau bysgodyn yn ei stafell wely, a doeddan nhw'n deud na bw na be wrthi ers iddi eu cael. Roedd pob anifail anwes call yn gneud *rhyw* lun o sŵn siŵr iawn. A dyna pam roedd Morgan mor ddelfrydol yn ei golwg, roedd o'n dechrau siarad ei hiaith hi. Ond doedd hi'm yn barod i ddatgelu'r gyfrinach fach honno iddyn nhw eto. Fe gadwai hi honno i fyny ei llawes am sbel. Yr hyn na wyddwn i ar y pryd, wrth gwrs, oedd fod Mali'n gallu siarad iaith y moch hefyd.

★ ★ ★

Doedd gan Mali ddim hanner gymaint o ddyfalbarhad â'r ddau arall i ddal ati hefo unrhyw beth fel arfer. Colli 'mynadd hefo'r naill beth a chychwyn rhywbeth arall y bydda hi'n wastadol. Un chwiw ar ôl y llall. Roedd hi wedi cychwyn gwersi dawnsio, ac ar ôl tymor roedd y wisg bale yn hongian yn segur binc yn ei wardrob. Roedd 'na delyn yn y parlwr hefyd, oedd prin wedi'i chyffwrdd, ac yn fwy o addurn na dim byd arall erbyn hyn, yn dystiolaeth euraid fod rhieni'n fodlon gwario'n wirion o wastraffus ar eu plant os oes ganddyn nhw'r modd. Dyna pam nad oedd yna ddim rhubanau na thystysgrifau ar waliau ei stafell hi. Roedd hi wedi rhoi'r ffidil yn y to hefo pob un wan jac ohonyn nhw. Ond roedd ganddi bopeth arall yno. Pob tegan a dilledyn a theclyn yr oedd ei angen arni. Stafell wely Mali oedd yr orau yn y tŷ yn ôl Morgan. Roedd hi'n binc ac yn floda i gyd, a charped gwyrdd yn drwch o'r naill wal i'r llall. Roedd hi fel bod mewn perllan gynnes ar fore o wanwyn a'r canghennau'n blodeuo'n drwch o binc uwch eich pen.

Ond os nad oedd gan Mali ddyfalbarhad hefo dim byd arall, roedd ganddi amynedd Job hefo Morgan. Bob bore'n ddeddfol byddai'n ei folchi yn y cafn tu allan i'r tŷ, a phan aeth yn rhy drwm i'w godi fe'i chwistrellai'n lân hefo'r beipen ddŵr oedd yno'n wastadol ar y talcen. Ei sychu wedyn hefo sychwr gwallt a'i wisgo'n amyneddgar heb ebwch o gŵyn am nad oedd Morgan yn gneud dim i helpu'r broses. Roedd yn rhaid gneud pob dim drosto fo. Onid felly roedd babi go iawn i fod beth bynnag? Roedd hi'n rhoi clwt glân amdano cyn y meiddiai ei adael yn agos i'r tŷ. Roedd hi'n benderfynol o brofi y medrai Morgan fod yr anifail anwes gorau a droediodd loriau Rhydlasau erioed.

Bora cynnar ym mis Ebrill oedd hi, a finna wedi crwydro heibio talcen y tŷ am ryw fymryn o dawelwch gan fod yr ieir yn fwy swnllyd nag arfer. Roeddan nhw wedi cael achlust fod Caron a Llinor yn mynd i gystadlu yn y brif gystadleuaeth neidio ceffylau yn y sioe eleni ac roedd hynny'n ddigon o ddeunydd trafod iddyn nhw bigo arno am wythnosa.

'Tydi hi'm braidd yn *ifanc* i fod yn gneud peth felly dudwch?' medda Caerwen, hefo ryw glwciad o bryder go grand yn 'i llais.

'Ma' Caron ddigon profiadol,' medda Manod yn syth. Doedd wiw i neb ama gallu Caron o bawb.

'Ia ond wedyn, ma' nhw'n glwydi mwy na be mae o wedi arfar.' Roedd Caerwen yn licio ca'l y gair ola. Ond roedd Arfona yno i neud yn saff nad oedd hi'm yn ca'l petha'n rhy hawdd yn yr hen fyd 'ma.

'O… A sut gwyddoch *chi* hynny felly Caerwen?'

'O'n i yn y sioe fy hun llynadd os cofiwch chi.'

Doedd dim rhaid i Caerwen atgoffa neb ei bod wedi cystadlu yn y sioe y flwyddyn cynt. Roeddan ni wedi clywed ganwaith ei bod wedi cael ei rhoi yn y dosbarth cynta ac wedi dŵad o fewn trwch asgell gwybedyn i ennill y 'best in show'.

'Gesh i ddau sytifficet *a* medal os cofiwch chi, Arfona.'

Iâr ddandan fach ddelicet oedd Caerwen, ac yn meddwl ei hun yn fwy na fasach chi'n ddisgwl o beth bach mor eiddil. Rhyfadd fel ma' creaduriaid llai weithia'n gallu gneud eu hunain mor fawr. Mi ddudodd Caron wrtha i wedyn yn ddistaw bach mai ail oedd Caerwen mewn gwirionedd, ac mai dim ond dwy oedd wedi cystadlu. Pam oedd yn rhaid i'r ieir ga'l deud gymaint o gelwydd? Pam fod yna rai creaduriaid llai gonest na'i gilydd?

Ond roedd yr ieir i gyd yn llenwi hefo ryw falchder fod 'na geffyl o Rydlasau'n mynd am y brif gystadleuaeth yn y sioe. Roedd eu bronnau wedi chwyddo dipyn mwy nag arfer wrth iddynt ei sgwario hi hyd y buarth yn ail-adrodd hyd at syrffed pa mor dda oedd Caron wedi neud. Ond roedd gan Caron ei amheuon ei hun ynglŷn â'r ornest. Doedd o ddim yn siŵr a oedd o'n ddigon 'tebol i neidio dros y clwydi, heb sôn am fynd i ystyried a oedd Llinor yn ddigon profiadol. Doedd brest Teifion, y ceiliog, ddim ar eithaf ei ymchwydd y dyrnodia dwytha 'ma chwaith. Digon ryw sdowt oedd ei osgo hyd y lle 'ma ers dyddia. Os oedd sylw'r ieir wedi eu denu'n ormodol ar ryw drywydd arall, yna digon swta caech chi Teifion am sbelan wedyn. Doedd ei glochdar o ddim mor orchestol, na'i adenydd o mor llawn o wynt y bora hwnnw. Ma' petha bach weithia'n gallu lluchio Teifion 'ddar 'i echal. A ma' ceiliog, o bawb, angen bod yn o sad ar 'i echal. Ond roedd yr ieir wedi gneud iawn am ei ddistawrwydd, a bore 'ma roeddan nhw'n uwch eu cloch nag arfer. Dyna pam yr oeddwn i wedi dŵad heibio i dalcen y tŷ, am ryw seibiant bach oddi wrth y clwcian.

Heibio'r talcen mawr gwyn mae'r ardd gefn yn ymestyn hyd at y ffos. Mae hi'n ardd fach ddel, a Mrs Prydderch yn tendio'i borderi yn ddigon cyson i'w chadw'n lliwgar drwy'r flwyddyn gron fwy neu lai. Hyd yn oed yn y misoedd llymaf mae'r ceirios gaeaf yn sirioli'r lle hefo'u blodau gwynion ysgafn fel rhyw dylwyth teg bach chwilfrydig sydd wedi deffro'n rhy fuan. Roeddwn i wrth fy modd yn gwylio Mrs Prydderch yn garddio. O'r holl ddoniau aruthrol a roed i ddyn, ohonyn nhw i gyd, mi liciwn i taswn i wedi medru garddio.

Pan ddaw hi'n wanwyn cynnar, bydd y plannu mawr yn digwydd. Mae Mrs Prydderch yn sgut am gystadlu hefo'i bloda a'i jam a'i chatwad yn y sioe. Mae'n rhyfeddol yr hyn mae hi'n llwyddo i'w ennyn o'r pridd yn ei gardd ac o'i phopty yn y gegin. Wrth edrych arni'n ddiwyd felly yn yr Eden flodeuog, fedrwn i ddim llai nag edmygu'r ddynol-ryw. Fel hyn y maen nhw ar eu gora, meddyliais, yn eu gerddi.

Ond doedd hi ddim yn yr ardd y bore hwnnw pan

gerddais i heibio'r crawia sy'n ffinio rhwng yr ardd a'r cae dan tŷ. Mae 'na ddigon o hollt rhwng pob un o'r crawia ichi fedru gweld i'r ardd yn glir. Drwy'r rhain dwi wedi syllu am allan o hydion ar Mrs Prydderch yn plannu ac yn palu. Ond roeddwn i rŵan yn syllu ar rywbeth hollol newydd a diarth imi.

Clywed 'nes i'n gynta. Mae clyw yn beth mor dwyllodrus. Mae gweld yn gallu bod yn dwyllodrus hefyd wrth gwrs, ond mae clyw yn eich twyllo chi'n fwy. Bron mor dwyllodrus â'r cof. Roedd dau fochyn yn rhochian yn yr ardd. Mi wyddwn i mai Morgan oedd un ohonyn nhw wrth gwrs, gan mod i'n nabod sŵn ei wich o gystal â f'anadl fy hun erbyn hynny. Roedd hi'n wich fach lawen iawn, ac yn ôl yr hyn roeddwn i'n ei glywed y pen arall i'r crawia roedd o'n cael coblyn o hwyl y bore 'ma. Ond wrth imi nesáu at ben yr ardd, lle mae Mrs Prydderch wedi plannu'r planhigion tala, mi gwelwn i'r ddau ohonyn nhw'n glir. Yno mae Mr Prydderch wedi codi tŷ bach cyfrin i Mali. Mae hi'n gallu chwarae yma heb neb yn ei gweld na'i chlywed, a'r planhigion talsyth a'r deiliach sy'n dringo hyd y coedydd wedi creu man chwarae delfrydol i blentyn, ymhell o olwg pawb. Ac yno yn ei chyfrinfa, ar ei phedwar, a Morgan yn ei hwynebu, roedd Mali'n rhochian, yn noeth lymun, yn borcyn! Ac nid unrhyw hen rochian oedd o chwaith. Roedd hi'n rhochian yn rhugl, rwydd, fel mochyn. Roedd ei hacen hi fymryn yn chwithig wrth gwrs, fel pob dysgwr, ond roedd hi'n ffurfio brawddegau cyflawn, ac yn amlwg wrth ei bodd yn gwrando ar stori Pryderi.

'Y moch sy'n teyrnasu yn Annwfn felly ta?' rhochiodd ei rhyfeddod.

'Ia,' medda Morgan yn bendant. 'Does 'na ddim pobol o gwbwl yno erbyn hyn. Gafon nhw i gyd ryw salwch rhyfadd na fedra neb 'i wella a fuo'n rhaid 'u difa nhw i gyd.'

'Pa fath o salwch?'

'Clwy'r trwyn a'r clustia oedd o. Ac roedd yn rhaid llosgi pob copa walltog yn diwadd ar danllwyth o goelcerth anfarth gan 'i fod yn glefyd mor hawdd 'i ddal.'

'Ma' hynna'n drist, Morgan.'

'Ydi, mae o tydi. Ond ma' nhw i gyd wedi cael mynd i'r nefoedd meddan nhw.'

'At Anti Magwen?'

'Ia dwi'n meddwl.'

'Pwy 'di'r brenin yno ta?'

'Brenhines sydd ganddyn nhw. Mae hi'r hwch hardda yn y deyrnas medda rhai, ac mae ganddi dri chant o foch bach, a ma' nhw i gyd yn medru dawnsio.'

Doedd hi ddim wedi clywed ein fersiwn ni o'r stori o'r blaen ac roedd yn amlwg yn mwynhau dehongliad Morgan ohoni. Roedd ei amrywiada a'i ychwanegiada at y stori'n dalant i'w rhyfeddu. Mi wyddwn i o'r blaen fod ganddo ddawn y cyfarwydd, ond roedd o'n mynd i'r hwyl ryfedda heddiw. Mae'n iawn ichi ychwanegu at hen, hen stori. Dyna fraint y ffuglennwr. Mae *angen* addurno'r ffuglen, dyna mae'n da.

'I Annwfn bydda *i*'n mynd ar ôl marw medda Mam,' medda fo'n sydyn.

Difrifolodd petha wedi hynny.

'Ti'n caru dy fam, Morgan?'

'Ydw siŵr. Pawb yn caru'i fam tydi?'

'Ydi, am wn i,' medda hitha, hefo ryw fymryn o

51

amheuaeth yn ei llais. Ond roedd hi'n braf cael bod wedi ei glywed yn arddel ei gariad tuag ata i mor ddigwestiwn. Fydda i'n coleddu'r atgo bach yna tra bydda i.

Mi sefish yno'n syfrdan am sbel yn edrych ar y ddau ohonyn nhw ac yn rhyfeddu at yr hyn yr oeddwn i'n ei glywed. Does yna ddim llawer o eiriau yn iaith y moch. Mae'n rhaid ichi wrando'n ofalus ar draw y gair a hefyd ar ei hyd. Mae'r anifeiliaid eraill i gyd yn ei deall erbyn hyn, ond does yr un ohonyn nhw erioed o'r blaen yn hanes y greadigaeth wedi llwyddo i'w siarad. Tydi corn gwddw yr un anifail arall wedi ei lunio i greu y fath synau, ac felly tydyn nhw erioed wedi llwyddo i'w siarad hi'n iawn. Ond mae gan ddynion gorn gyddfau hyblyg iawn. Mi allwch ddynwared anifeiliaid yn dda, ac mi newch hynny'n amal. Ond tydach chi 'rioed wedi dalld. Tydach chi ddim wedi gwrando'n ddigon astud arnan ni 'rioed o'r blaen i *ddechra* dalld. Ond roedd Mali'n dalld. Yn dalld yn iawn.

Roedd Morgan yn noeth hefyd wrth gwrs, gan mai chwarae moch yr oeddan nhw y bore 'ma. Ac wedi i'r chwerthin a'r miri orffen mi eisteddodd ar ei ben ôl a'i gefn yn syth a gofyn geuthan nhw chwara pobol rŵan. Roedd Mali'n gyndyn o gytuno i ddechra. Roedd hi erbyn hyn wedi ei gorchuddio mewn pridd a brwgaej a baw ac yn teimlo rhyw ryddid gwahanol i'r hyn a ganiateir i ferched wythmlwydd fel arfer. Ond roedd hi'n tynnu am amser cinio ac roedd yn well iddyn nhw gael trefn ar eu hunain cyn y byddai Mrs Prydderch yn eu galw i mewn i'r tŷ. Felly gwisgodd y ddau'n gyflym a diflannu i'r gegin gefn.

Doeddwn i ddim yn breuddwydio. Roeddwn i yno, yn

edrych yn syfrdan ar y ddrama ryfedd 'ma oedd yn digwydd o flaen fy llygaid i. Ac fel tasa angen rhoi clo ar y bennod fach ryfedd yma yn hanes fy mab, fel tasa hi ddim digon o ryfeddod yn barod, fe ganfaf gododd Morgan, a chyn mentro i'r tŷ, aeth tu ôl i goeden i neud ei fusnas, a chladdu'r cyfan yn reddfol hefo'i garnau. Doedd dim angen hyd yn oed clwt arno bellach.

★ ★ ★

Nid Mali oedd y gynta i ddysgu i fochyn beidio baeddu yn y tŷ, wrth gwrs. Mae'n ffasiynol bellach mewn sawl gwlad i ddysgu rheolau aelwydaidd i deulu'r hesbin. Mae gan fochyn reddf lanwaith ddigymar, ac er nad ydach *chi* wedi sylweddoli hynny am ganrifoedd, *mae* hi wedi bod yno erioed. Yn eich iaith chi mae galw rhywun yn fochyn neu hwch yn awgrymu rhyw fath o fudreddi, ac mae hynny'n ein brifo. Ambell hil yn eich plith yn meddwl fod cig y mochyn yn rhy frwnt i'w gyffwrdd hyd yn oed. O lle tarddodd yr hen syniad bach yna tybed? Pa mor bell o'r gwirionedd y gallwch chi fod? Gallwn ddisgyblu'n hunain yn gyflym ond inni gael yr amodau iawn, ac mae hi wedi cymryd tan rŵan ichi *ddechra* sylweddoli hynny.

8

Roedd hi'n hwyr iawn ar Morgan yn dychwelyd i'r twlc y noson honno ac roedd o wedi blino'n lân. Roedd ganddo gyfrinach i ddeud wrtha i, ac er fod lludded yn llenwi'i lygaid roedd 'na ormod ar ei feddwl i ildio i gwsg. Feddylish i i gychwyn mai mynd i gyfadda'i fod o'n siarad iaith pobol yr oedd o, ond fe suddodd fy nghalon pan ddatgelodd wrtha i pam yr oedd o wedi cynhyrfu gymaint.

'Ma' Mali isio i mi fynd hefo hi i'r sioe, Mam!'

Welwn i ddim beth oedd achos y cynnwrf yn hynny fy hun, ond os oedd o'n gneud Morgan yn hapus, doeddwn i ddim am luchio dŵr oer ar betha. Wel, dim ar f'union beth bynnag.

'Ydi hi wir?' holais yn betrus.

'Be sy?' gofynnodd yn syth. Roedd o wedi gobeithio y byddwn i wedi rhannu'i gynnwrf mae'n siŵr, ond fedrwn i ddim. Dim ynglŷn â'r sioe o bob dim.

'Be sy, Mam?'

'Dim, Morgan bach, dim byd.'

'Ti'm yn licio'r sioe yn nagwyt?'

'Nes i ddim o'i atab yn syth. Doeddwn i ddim yn siŵr iawn *sut* i'w atab o.

'Pam?' holodd fi wedyn yn daer.

'Lle i arddangos anifeiliaid ydio. A'n harddangos fel

mae dyn am ein gweld ni, Morgan. Nid fel 'dan *ni* am weld ein gilydd.'

'Dwi ddim yn mynd i fod ar sioe yno.'

'O?'

'Mynd yno hefo Mali dwi.'

'Dwyt ti ddim yn cael dy arddangos, felly?'

'Mond fel anifail anwes.'

'O, be 'di hynny ond bod ar sioe, Morgan bach? 'Dio ddim gwell na cha'l dy arddangos fel anifail pasgedig.'

'Ydi *mae* o!' protestiodd yn bwdlyd.

Doedd gen i fawr i'w ddeud am y sioe. Roeddwn i wedi clywed digon amdani i wybod mai lle i gael eich procio a'ch bodio oedd o, heb fawr o urddas yn perthyn iddi o gwbwl. Lle i'r ffermwr ddangos gystal cig oedd ar yr anifail, lle rhostir moch yno o flaen eich llygaid nes bod dŵr yn dod i'ch dannedd, a lle mae ennill yn bwysig a cholli'n magu cenfigen. Lle felly ydi sioe.

'Tydwi ddim yn mynd yno fel *mochyn*, Mam. Fel anifail anwes dwi'n mynd.'

'Wel os nad wyt ti'n mynd yno fel mochyn, fel *be* wyt ti'n mynd yno ta? Oes gen ti gwilydd o fod yn fochyn ta, Morgan?'

Ddaru o ddim ateb yn syth. Ac roedd y saib yn siarad cyfrola.

'Nagoes siŵr. Fedra i'm smalio mod i'n ddim byd arall yn na fedra?'

'Ma' Mali'n trio'i gora hefo chdi.'

'Be 'dach chi'n feddwl?'

'Dwyt ti'm yn *edrach* fel mochyn pan ma' hi'n dy wisgo di'n y dillad 'na, Morgan.'

'Mond chwara 'dan ni.'

'Fedar chwara arwain i lawar o betha.'

'Be 'dach chi'n feddwl?'

'Dim.'

'Dudwch, Mam. Dudwch be sy'n mynd drw'ch meddwl chi.'

'Ddaw 'na'm lles ohono fo, Morgan.'

'Be? Lles o be?'

'O'r hyn 'dach chi'n 'i neud... ac yn 'i... *ddeud* wrth 'ych gilydd.'

'Sut gwyddost di? Sut gwyddost di be ma' Mali a fi'n 'i ddeud wrth yn gilydd?'

'Dwi wedi'ch clŵad chi, Morgan bach. Heddiw. Yng ngwaelod yr ardd.'

Ddudodd o ddim byd am sbel. Mi steddon ni yno fel 'tai'r cyfaddefiad wedi digwydd rwsud. Fel tasa bob dim wedi'i ddeud. Roedd o'n dawelwch da, ac roedd 'na ryddhad yn ei anadl. Roedd y ddau ohonan ni'n edrach allan am y beudy a chilcyn o ola'n dŵad o gyfeiriad y tŷ ac yn dal gwyn 'i lygad o. Roeddwn i'n 'i ddal o'n edrych arna i weithia, i weld beth o'n i'n 'i feddwl. Ddudish i'm byd. Doedd dim angen deud dim mwy. Heno. Ac mi gysgodd. Mi gysgodd yn sownd. Mi gysgodd fel mochyn.

9

Y bore wedyn pan godais i roedd hi'n od o dawel. Wyddwn i ddim ar y cychwyn be'n union oedd o'i le. Roedd yr adar yn canu ac mi allwn i glywed ambell fref ymhell yn y caeau. Roedd sŵn y nant oedd yn rhedeg heibio'r twlc mor groyw ag erioed, ond roedd rhywbeth ar goll yng ngherddorfa'r buarth. Yn sydyn, mi trawodd o fi. Doedd yna ddim clochdar. Dim iâr yn clwcian yn unman. Er fod colledion y Nadolig wedi tawelu mymryn ar y cacoffoni arferol, roedd hi'n rhyfedd iawn fod adran gyfan o'r symffoni foreol wedi peidio dros nos.

Roedd Morgan yn cysgu'n drwm. Cwsg braf oedd o i weld. Roedd o'n gwbod fod ganddon ni lawer i'w drafod, ond o leia roedd 'na wirionadd rhyngon ni rŵan, ac roedd ganddon ni fan cychwyn felly i roi'r byd yn ei le. Ond be oedd yr holl dawelwch 'ma? Yr ieir fel arfer oedd y bore-godwyr ar y buarth a doedd hyd yn oed Teifion, y ceiliog dandi do, ddim wedi rhoi ei floedd arferol. Codais yn araf a gofalus fel nad oedd y gweddill yn cael eu sdyrbio. Tuedd i fod yn flin sydd ganddon ni os na chawn ni'n cwsg yn gyflawn. Barrau oedd ar y giât oedd yn ein cau ni i mewn yn y twlc ac felly gallwn weld y buarth yn glir.

Fe lamodd fy nghalon i ngwddw pan welish i'r alanas; er mod i wedi gweld peth fel hyn o'r blaen doedd hi ddim yn olygfa y byddai neb yn dewis bod yn dyst iddi. Roedd yr ieir i gyd yn edrych mor hurt yn farw. Roedd eu coesau ar onglau rhyfedd a chen o wyn fel mwgwd dros eu llygaid. Roedd Caron â'i ben allan o'r stabl yn edrych yn fud ar yr olygfa a doedd dim y gallai yr un ohonom ei neud. Roedd Caerwen yn dal yn fyw, ond roedd yr ôl dannedd yn ei gwddw bach eiddil yn arwydd ei bod hithau wedi cael brathiad angheuol hefyd, ond fod 'na 'chydig mwy o anadlu i'w neud cyn y byddai hithau wedi mynd i'w haped. Mor wastraffus yw ymosodiad cadnoid.

Pan ddeffrôdd Trygar a'r cŵn roedd yr ieir i gyd yn farw, a Teifion yno'n gelain yn eu canol. Un brathiad yn y corn gwddw, dyna i gyd oedd y rhan fwyaf ohonyn nhw wedi'i gael. Hen sleifiwr ydi marwolaeth, a'i amseru bob amser mor glyfar o annisgwyl. Ddaru Trygar ddim ymateb llawer, dim ond eu cario fesul un a'u lluchio i gefn y treilar bach fel sach o datws a ffwrdd â fo. Roedd y cyfan drosodd o fewn yr awr, ac roedd Morgan wedi cysgu drwy'r cyfan. Pan ddaeth y gwartheg i mewn i'w godro roedd popeth yn ôl fel yr oedd hi fwy neu lai.

'Pam ddaru o mo'u byta nhw ta, Mam?'

'Fedra 'na neb fyta gymaint â hynna o ieir, Morgan bach.'

'I be oedd isio'u lladd nhw i *gyd* ta?'

'Ma' lladd yn 'i waed o, dyna ti pam.'

'Sut ma' lladd yn mynd i dy waed di?'

'Taswn i'n gallu atab hwnna, Morgan, mi *fedrwn* ni wedyn ga'l Annwfn ar y ddaear.'

'Fytodd o ddim *un*?'

'Rhyw un ne' ddwy falla.'

Wedyn mi ddudodd o air nad oeddwn i'm yn ddalld.

'Be ddudist di?' meddwn i wrtho fo.

'Dyna fasa Mali 'di galw nhw.'

'Cym' di bwyll na dwyt ti'm yn deud y geiria newydd 'ma yng ngŵydd dy frodyr, Morgan. Fydda hynny'n ddigon amdanat ti.'

'Mond am na tydyn *nhw*'m yn ca'l y sylw.'

'Morgan!'

'Mond am na tydyn *nhw*'m yn dalld.'

'Mi fasa titha 'run fath.'

'Na'swn i! Dwi'm yn dalld pam ma' nhw'n fy nghasáu i.'

Yn sydyn iawn, roedd Morgan wedi dechra codi stêm. Roedd o rŵan yn rhyddhau rhyw deimladau o'i grombil na chlywais i mono'n eu harddangos o'r blaen.

'Ti'n pellhau oddi wrthyn nhw bob dydd, Morgan. Mi fedri ddalld hynny siawns.'

'Fasa *nhw*'n gneud 'run fath tasan nhw'n ca'l *hannar* y cyfla.'

'Dwi ddim mor siŵr a w't ti'n iawn yn fan'na, cofia.'

'Mond am fod Mali'n ffeind hefo fi. Mond am mai *fi* sy'n cael y sylw.' Roedd o'n trio nghael i i ddalld, a finna'n trio'i gael ynta i ddalld 'i frodyr, ond weithia 'dan ni mor ddall i deimlada'n gilydd.

'Dyn ydi'n gelyn ni, Morgan, ers canrifoedd. 'Dio ddim gwell na ma'r cadno hefo'r ieir.'

Ddaeth 'na ddim ymateb. Dim am sbel. Ond mi wyddwn fod ei feddwl bach ar ras wyllt yn chwilio am eiriau. Pan ffurfiodd ei 'chydig frawddegau yn y diwedd roeddan nhw'n rhai syml, a doeddan nhw ddim angen unrhyw ateb.

'Dwi *am* fynd i'r sioe, Mam. Waeth gin i amdanyn nhw. Dwi'n *mynd* i'r sioe hefo Mali.'

Doedd o ddim isio mynd dim pellach ar y ddadl fach yna felly. Ddim am drafod gwraidd y drwg. Roedd o wedi gneud ei feddwl i fyny, a *doedd* 'na ddim troi arno.

'Wyt… dwi'n gwbod,' oedd y cyfan medrwn'i ddeud. A dyna ben ar y mwdwl.

10

Ond *maen* nhw'n araf yma. Yn boenus o araf. Y sibrydion sy'n cyrraedd y cefn yma rŵan yw fod rhywbeth wedi mynd o'i le hefo'r peiriant lladd. Y teclyn maen nhw'n ei ddefnyddio i'n difa ni wedi torri i lawr. Dros dro mae'n siŵr. Mond dwysáu yr aros wna peth felly. Does 'na neb yma'n codi'i obeithion. Mae pawb yn gwybod beth fydd eu tynged. Mae'r aros yma'n artaith ynddo'i hun. Dwi ddim yn gwybod be'n union sy'n bod ar y peiriant, a dwi ddim *am* wybod chwaith. Dwi'n trio meddwl am bob dim, llenwi fy ymwybyddiaeth hefo rwbath ond y presennol. A chan na *fydd* dyfodol, yna mond yr hyn a fu sydd gen i bellach i fynd â fy meddwl oddi ar y tristwch yma sy'n dew o nghwmpas i. Trio meddwl am yr amseroedd da. Cofio'r cyfnodau dedwydda. Ond yng nghanol arogl yr ofn does dim modd gwneud hynny.

Mae un o'r moch yn dechrau drysu braidd ac yn troi yn ei unfan yn ddi-baid. Yn rhedeg yn ddryslyd, ddibwrpas ar ôl ei gynffon, yn union fel y bydd y cŵn yn 'i neud amball waith. 'Dio ddim yn un o foch Rhydlasau a dwi ddim yn meddwl imi ei weld erioed o'r blaen, ond mae 'na farc ar ei gefn o sy'n debyg iawn i'r un oedd gan Morgan. Mae o'n gwichian rŵan dros y lle ac mae rhai o'r moch eraill yn cynhyrfu yn ei sgil. Tasan nhw mond yn dalld. Mond yn gweld fod arnon ni ofn go iawn. Maen nhw'n meddwl nad oes yma ofn, nad ydan ni'n dirnad nac yn sylweddoli be sy'n digwydd. Does yna ddim iaith rhyngom ni fel y gallwn ni ddeud hynny wrthyn nhw. Tydyn nhw ddim wedi trafferthu i drio dalld. Mali oedd yr unig un oedd wedi dechra dalld. Ond rŵan ma' hitha wedi troi'i chefn, a rŵan ddalldan nhw byth.

Tydwi ddim hyd yn oed wedi cael bod hefo fy nheulu. Dim un o'r meibion hefo mi. Fe aethon nhw hefo llwyth arall i rywle. Dwi ddim yn siŵr a ydyn nhw yn yr un lladd-dy â mi hyd yn oed. A da hynny falla. Dwi ddim yn meddwl y byddwn i wedi medru tystio i weld un arall o fy meibion i'n cael 'i ladd o flaen fy llygaid i. Roeddan ni wedi pellhau'n o arw erbyn y diwedd beth bynnag.

Ddaru nhw ddim troi ar Morgan. Dim ond ei anwybyddu o'n raddol bach, fel tasa fo'm yn bod. Ac roedd hynny'n ei frifo'n waeth na'r bygwth a'r piwsio. Mae peidio deud dim yn gallu bod yn waeth yn amal iawn. Hen ddistawrwydd rhyfedd ydio. Neb yn deud dim. Pan ddeua fo 'nôl i'r twlc fin nos doeddan nhw ddim yn 'i gyfarch o hyd yn oed, neb yn 'i gydnabod o. Yn sydyn iawn doedd Morgan ddim yn bod iddyn nhw. Doeddan nhw ddim yn trafferthu i'w alw'n 'fradwr' mwyach. Ac yna, pan glywson nhw ei fod o am fynd i'r sioe, ddudon nhw ddim gair wrtho fo o'r eiliad honno 'mlaen. Dim un gair. Roedd y pellhau'n mynd yn bellach bob dydd. Roeddan nhw'n methu dalld sut gallwn i ddal i'w garu, ac roeddan nhw'n edliw hynny imi. Fi bellach oedd yn cael blas eu tafoda nhw, nid Morgan.

'Be ti'n neud? Aros yn effro nes daw *o* adra?' medda Maldwyn un noson tra oedd y lleill yn hepian.

'Nes daw *pwy* adra?' gofynnais inna.

'Y bradwr. Ti'n dal i'w drin o fel lord.'

'Maldwyn, paid â siarad ffasiwn lol. Dwi'n trin Morgan fel y gweddill ohonach chi. Dwi'n 'ych caru chi i gyd yr un fath.'

'Pam mai *fo* sy'n dy ymyl di bob bora pan 'dan ni'n deffro ta?'

'Be?'

'Fo sy'n ca'l cysgu wrth d'ymyl di 'de, bob nos.'

'Ma' croeso i *bob un* ohonach chi gysgu wrth f'ochor i os 'dach chi isio.'

'Oes 'na?'

'Wel oes siŵr iawn.'

'Ond *fedran* ni ddim yn na fedran? Dim os ydi *o* yno'n barod.'

'Does 'na ddim i dy rwystro di, Maldwyn.'

'Oes, Mam. Tydw *i* ddim yn mynd i gysgu hefo *bradwr*. Na *mam* i fradwr chwaith.'

★ ★ ★

Tydan ni ddim mewn lladd-dy go iawn wrth gwrs. Doeddan nhw ddim yn gallu mynd â ni i ladd-dy cyffredin. Mae'r llywodraeth wedi gwahardd peth felly. Dwi ddim yn siŵr iawn *lle* ydan ni; fedrwn ni ddim deud. Fedar neb ddeud. Mae hwn yn brofiad diarth i bob un ohonan ni. Dwi'n cofio na fuon ni ddim yn y lorri'n hir, felly fedrwn ni ddim bod yn bell iawn o Rydlasau. Mae'r llywodraeth wedi gorchymyn i'r holl anifeiliaid heintiedig gael eu lladd dan yr unto. Mae hynny'n haws, ac yn lanach. Dyna 'dan ni wedi'i gael ar ddalld. Dim mwy na hynny. Mae hwn yn haint newydd a does ganddyn nhw ddim syniad sut i drin y sefyllfa na'r clefyd. Mae o wedi mynd i'r llygaid yn ogystal â'r traed

63

a'r gena y tro yma, ac yn ôl yr hyn rydan *ni* wedi'i glywed, mae 'na ffermwr o'r gogledd wedi arddangos arlliw o'r un symtoma. Mae'r wlad wedi mynd i dipyn o banig ac mae ôl brys ar y didoli a'r lladd.

Dwi'n trio denig i fyd atgofion eto, i ddyddiau brafiach, i *unrhyw* le o'r fan hyn. Does dim rhaid i betha fod fel hyn, wyddoch chi. Wir.

11

Roedd hi'n ddechrau haf, a'r blodau yng ngardd Mrs Prydderch erbyn hyn yn goch a glas a phiws. Lliwiau llachar, powld. Yn wahanol i liwiau swil y gwanwyn, roedd y sbloets ddechrau haf yn mynnu eich sylw. Yn siarad hefo chi bron. Bellach roedd yma ddigon o blanhigion i Mrs Prydderch ddechrau cynllunio'i harddangosfa o flodau'r ardd ar gyfer y sioe. 'Y Machlud' oedd y testun eleni, ac roedd hi'n fwrlwm gwyllt o syniadau. Bob tro y byddai Mrs Prydderch wedi cael syniad mi fydda hi'n mynd o gwmpas ei gwaith bob dydd hefo'r ffasiwn arddeliad wedyn. Roedd cael gafael ar gysyniad yn ei chynhyrfu, a phrysurai i orffen ei gorchwylion beunyddiol er mwyn cael cnoi cil dros ei gweledigaeth newydd. Dyna sy'n dda ynglŷn â dyn. Mae o'n cael syniadau, ac mae o wedi gwneud rhyfeddodau mawr yn yr hen fyd 'ma. Rydan ni'n edmygu dyn; does yna 'run anifail ar y buarth 'ma nad ydio'n gweld ac yn gwerthfawrogi ei rinweddau mawr. Ond rydan ni hefyd yn ei gasáu a'i ofni.

Rhyw hel meddyliau ynglŷn â'r testun yr oedd Mrs Prydderch pan ddudodd Mali wrthi am ei bwriad i gystadlu.

'Ond Mali bach, fedri di ddim mynd â mochyn i'r sioe. Dim i gystadlu. Dim fel anifail anwes!'

'Pam ddim?'

'Wel… am nad *ydio*'n anifail anwes, cariad bach.'

'Mae o'n anifail anwes i *mi*, tydi.'

'Ond mae o'n *nodi*'r anifeiliaid yn y rhaglen, Mali bach. A tydio ddim na chath na chi na pharot na dim sy o fewn y rheola.'

Ond roedd Mali'n daer am fynd â Morgan hefo hi.

'Mae 'na adran arall y medra i gystadlu arni.' Roedd hi am ddal ati hyd yr eithaf eto. Roedd 'na egin gwleidydd yn Mali.

'A be 'di honno, felly?' prociodd Mrs Prydderch ymhellach.

'Ddudodd Mr Hughes yn yr ysgol ddoe. Os oes ganddoch chi anifail anwes sy'n medru gneud tricia, mae 'na adran arbennig i'r rheiny.'

'A be yn enw'r greadigaeth ma' Morgan yn gallu'i neud, Mali bach? Mochyn 'di mochyn 'di mochyn.'

Roedd hi'n falch iddi beidio deud tan rŵan. Amseru yw popeth. A does 'na ddim byd gwell na chadw'ch cerdyn gora hyd y diwedd. Yn enwedig o flaen rhiant.

'Siarad.'

Bu eiliad o ddistawrwydd cyn i Mrs Prydderch ollwng basgedaid o rosynnau ar y bwrdd a dal ei hochrau'n chwerthin dros y tŷ. Am unwaith ddaru Mali ddim gwylltio a stampio'i thraed mewn cynddaredd. Mae'n od fel mae rhywun yn gallu cadw mymryn mwy o urddas pan mae o'n siŵr o'i betha. A beth bynnag, roedd hi wedi disgwyl rhyw ymateb cyffelyb, ac yn barod amdano. Roedd gweld Mali'n sefyll yn hunanfeddiannol felly'n peri dipyn bach o ofid i Mrs Prydderch. Mae rhiant yn gallu synhwyro os oes celwydd yn y gwynt, yn enwedig mam. Sadiodd rhyw fymryn ar ei hun a sobreiddiodd ronyn cyn gofyn,

'Be ti'n feddwl, siarad?'

'Mae o'n medru deud petha… geiria…'

'Mali fach, ti'n mwydro rŵan.'

'Nac'dw! Ti'sio i mi ddangos i chdi?'

Roedd Morgan yno'n gwrando ar hyn i gyd wrth gwrs ac yn ysu am roi ei big i mewn. Ond doedd o ddim am ddeud gair nes byddai Mali'n ei gymell i neud hynny. Mi edrychodd Mrs Prydderch arno fel tasa hi'n ei weld o am y tro cynta ac yna troi'n ôl i edrych ym myw llygaid ei merch.

'Profa fo ta!' medda hi'n heriol wrthi.

Yna mi steddodd Mali ar y llawr hefo'i 'phlentyn' a'i fwytho'n dyner.

'Morgan,' medda hi'n addfwyn yn ei glust. 'Morgan, wyt ti am ddeud bora da wrth Mam?'

Daeth pwl arall o chwerthin i stumog Mrs Prydderch ond llwyddodd i'w fygu y tro yma. Bu ennyd o ddistawrwydd. Mymryn mwy o fwytha gan Mali.

'Morgan?' medda hi wedyn. Hefo mymryn mwy o daerineb yn ei llais yr eildro. Yna dyma Morgan yn tynnu un anadliad tyfn a dyma fo'n deud,

'Brichchchchchchh.'

'Pah!' medda'r fam, gan ddechra chwynnu rhai o'r deiliach isaf oddi ar fonion y rhosynnau. 'Os ti'n galw hwnna'n siarad, Mali bach, yna waeth i ti alw'r rhosyn yma'n chwyn yr un pryd ddim.'

'Ond *mae* o'n siarad, Mam.'

'O, pam na ddudith o "bora da" ta? Fel dudist di bysa fo'n neud?'

'Mae o d'ofn di. Tydio 'rioed wedi siarad yn y tŷ o'r blaen. Dim o flaen neb arall.'

'Gwranda, Mali, gin i ddigon o betha i neud heb fod yn fa'ma'n gwrando ar fochyn yn… paldaruo.'

'Ond *mae* o'n siarad, Mam. Chdi sy'm yn rhoi cyfla iddo fo!'

A chyn i Mali gael cyfla i brotestio dim mwy mi fagodd Morgan blwc sydyn a deud,

'Dwi'm yn paldaruo.' Ac mi ddudodd o fo mor glir â chaniad yr ehedydd ar fora o wanwyn mwyn.

Y rhosyn syrthiodd i'r llawr yn gyntaf, ac yna Mrs Prydderch i'w ganlyn. Edrychodd Morgan a Mali ar ei gilydd am sbel. Doedd 'run o'r ddau yn siŵr iawn be i neud. Yna, llamodd Mali i'w thraed a rhedeg allan i'r llaethdy i chwilio am ei thad.

O fewn ychydig funudau roedd pawb yn sefyll o gwmpas Morgan yn ceisio'i annog i siarad eto. Erbyn hynny roedd Mrs Prydderch wedi dadebru a Mr Prydderch yn ei chynnal. Roedd Llinor a Ceidiog yno wrth gwrs, a Trygar a'r cŵn hefyd, a Brengain a Boncath, pawb, i *gyd* yn syllu ar Morgan. Môr o wynebau, a'u golygon i gyd wedi eu hoelio ar y creadur rhyfedd mewn gwasgod felfed goch. Roedd Mali'n edrych arno'n daer i ailadrodd ei gamp, ond am sbel doedd Morgan ddim yn anadlu, heb sôn am siarad. Roedd Brengain a'r gath wedi hen ddiflasu aros amdano, ac roedd y forwyn bach wedi dechra clirio'r brwgaej oedd hyd y llawr wedi'r llewyg. Roedd Ceidiog ynta ar fin mynd yn ei ôl i'r stydi i ailafael yn ei draethawd pan gafodd Morgan ail wynt.

'Bora da, bawb,' medda fo. A Mali fel rhyw fam

eisteddfodol o'i flaen yn ynganu pob un gair hefo'i phlentyn talentog.

Chlywsoch chi 'rioed y fath sgrechfeydd yn eich dydd, medda Morgan. Roedd y gorfoleddu'n fyddarol. Yr unig rai oedd ddim yn symud oedd Brengain a Boncath. Roedd y forwyn bach yn sefyll yn stond hefo soseraid o laeth roedd hi ar fin ei roi i'r gath, ac wedi ei delwi yn ei hunfan gan y fath sioc a Boncath yn methu dalld pam nad oedd hi'n cael ei diod.

'Beth oedd yr holl ffỳs?' meddyliodd y giaman wrthi ei hun, gan nad oedd hi wedi dalld *dim* ar be oedd neb wedi'i ddeud wrthi *hi* erioed. Does 'na'm dalld ar bobol beth bynnag, felly i be oedd angen trafferthu. Petha call 'di cathod.

Ond roedd y cŵn wedi dalld. Wedi dalld yn iawn. Am un ennyd wan roedd hyd yn oed Trygar wedi ymuno yn y dathlu. Aeth y cŵn dan y bwrdd am sbel, i aros i'r storm dawelu. Roeddan nhw'n gwybod o'r gora na fydda Trygar ddim yn *rhy* hir cyn sylweddoli pa mor wirion oedd gweddill y teulu'n edrych yn neidio ar ben cadeiriau ac yn canu'n wallgo yn eu gorfoledd. Mond mochyn yn siarad oedd o wedi'r cwbwl. Mi allsa *nhw* fod wedi gneud yr un fath yn union petai raid a phe tasa gan Trygar ddigon o fynadd i ddyfalbarhau. Ond does dim rhaid i gi neud petha gwirion felly am sylw.

★ ★ ★

Doedd neb o'r teulu i ddeud gair am y mochyn. Roedd Mr Prydderch wedi siarsio pawb mai doethach fyddai peidio â deud dim am gampau rhyfeddol Morgan wrth neb. Mi fydda'n llawar mwy o destun siarad petasa neb yn yngan gair tan fore'r sioe.

'Taw pia hi,' medda fo. A taw fuo hi hefyd. Doedd neb yn meiddio mynd yn groes i Mr Prydderch.

Ond roedd y cŵn wedi dechra siarad ar y buarth, wrth gwrs. Roedd Mr Prydderch wedi cael rhyw ddau ddwsin o ieir unwaith eto i ddodwy digon i'r teulu. Roedd yn rhaid i Mrs Prydderch gael wya ffres, er mwyn tad, neu fydda'i chacenna hi ddim i fyny i'r safon arferol. Cafwyd cwt ieir newydd hefyd, un digon mawr i gloi'r ieir fin nos yn saff rhag brath unrhyw gadno. Roeddan nhw fymryn yn fwy tawedog na'r lleill i gychwyn, ond unwaith y ffendion nhw'u traed ar y buarth dyma'r clwcian yn dechra eto, a chyn pen dim roedd y stori am y bradwr yn siarad wedi cyrraedd cyrion eithaf y caeau.

'Hen lol,' medda un hen jadan ffroenuchel. 'Lol botas maip!'

Gas gen i ieir ar y gora, ond roedd y rhein saith gwaith gwaeth am ryw reswm, a'u hacen hyd yn oed yn feinach na'r lleill.

'Tric ydio i gyd siŵr, Chelsea bach. Ma' hyd yn oed y byji'n medru dynwarad. Be sy mor sbesial am ryw fymryn o fochyn felly, meddach chi?'

Ond roedd eu cyfrinach yn saff o fewn y cloddia terfyn. Mond ymhlith yr anifeiliaid yr oedd y stori am Morgan wedi mynd ar led, a dim ond un ohonyn nhw oedd yn ddigon abal i'w chario hi i glustiau dynion, a feiddiai hwnnw ddim agor ei geg.

Doedd yr ieir newydd ddim yn siarad gair hefo'r un o'r moch ar y cychwyn.

'Llathan o'r un brethyn ydyn nhw i gyd siŵr o fod,' medda Morcombe, y ceiliog newydd.

'Dwi'm yn ama'ch bod chi'n iawn, Morcombe,'

meddai Chelsea, gan edrych lawr 'i phig ar Maldwyn yn snwyro o gwmpas y cafn. Hen gnawas bigog oedd Chelsea. Mi rois i nghas arni o'r cychwyn cynta. Mwya sydyn roedd gen i hiraeth am Arfona a Caerwen am ryw reswm gwirion. Rhyfadd fel mae hen elynion yn teimlo gymaint yn well na'r rhai newydd. Mae ganddoch chi hen ddihareb am nabod y Diafol na chofia i mohoni'n iawn ar hyn o bryd, ond mi fydda'n gymwys i'r achlysur taswn i'n gallu ei dwyn i gof. Ac roedd Teifion yn sicir yn well peth na'r Morcombe ddiawl 'ma oedd wedi dechra clochdar hyd y lle 'ma'n ddi-baid. Ac roedd ganddo hen ganiad fach oedd yn mynd dan eich crawen chi hefyd. Fel tasa fo ddim wedi clirio'i wddw'n iawn cyn mentro'i tharo hi. Roedd o'n canu'n llawer rhy fuan yn y bore ac yn clwydo'n llawer rhy hwyr yn y nos. Doedd gen i'm un gair da i ddeud am ein mewnfudwyr newydd. Roeddan nhw'n bla.

Ond doeddan nhw ddim yn hir cyn dŵad i ddalld nad *oedd* Maldwyn a'i frodyr yn llathan o'r un brethyn yn y bôn. Buan iawn y daethon nhw i sylweddoli mai dim ond un mochyn oedd angen eu gwg. Ac roedd hynny'n siwtio'r ieir yn iawn. Roedd pigo ar un creadur yn haws o lawer iddyn nhw. Roedd hi'n haws cofio pwy *oedd* o i ddechra cychwyn. Roedd y 'bradwr' yn llawar haws i'w nabod wedyn.

12

Taswn i mond wedi peidio'i annog o. Taswn i wedi cau fy ngheg, hwyrach y bydda fo byw rŵan. Hwyrach y bydda Morgan wedi mynd yn ei flaen i fod y mochyn enwoca gerddodd wyneb yr hen ddaear yma 'rioed taswn *i* ddim wedi gneud yr hyn 'nes i. Ond fedrwn ni ddim newid yr hyn a fu. *Tasan* ni'n medru gneud hynny, mi fydda'r hen fyd 'ma dipyn gwahanol i'r hyn ydio heddiw dybiwn i. Ma' pawb ohonan ni isio newid amball i beth, yn tydan? Pawb isio troi'r cloc yn ôl weithia, tydi? Ac eto, wedi deud hynny, dwi'm yn meddwl y byddwn *i* isio newid yr hyn ddudish i wrth Morgan y noson cyn y sioe chwaith. Fyddwn i ddim am droi'r cloc yn ei ôl am bris yn y byd. Dwi'n dal yn meddwl mai fi oedd yn iawn. Roedd meddwl am Morgan yn mynd i'r sioe i fod yn destun sbort i bawb a phopeth yn troi arna i. Hwyrach y bydda fo wedi ymestyn dipyn ar ei hoedl o, ond be 'di ryw fymryn o estyniad ar eich bywyd pan mae eich holl hil yn dal i ddiodda? Na, mi wnes i'r peth iawn. Roedd yn rhaid imi drio newid ei feddwl a gweld petha o'n safbwynt ni. Roedd yn rhaid imi ddeud celwydd wrth Morgan y noson honno.

★ ★ ★

Roedd y glaw yn arllwys i lawr ond roeddan nhw'n 'i gaddo hi'n braf at y bora. Roedd Llinor yn y stablau yn brwsio ac yn cribo'r hen Caron fel na chafodd o'i frwsio

a'i gribo erioed o'r blaen. Yn ei dychymyg roedd hi
eisoes wedi neidio dros bob clwyd heb gyffwrdd carn yn
yr un ohonynt a'r dorf rŵan yn cymeradwyo'n frwd yn ei
chlustiau. Roedd hi'n esgyn y grisiau yn y babell fawr yn
wên o glust i glust i dderbyn tlws anferth gan yr aelod
seneddol lleol, oedd wedi dod yr holl ffordd o Lundain i
rannu'r tlysau i'r buddugwyr. Roedd y camerâu'n
fflachio a phawb yn llongyfarch o bob cyfeiriad. Ac
roedd ei theulu i gyd yno'n ei chofleidio a'i chusanu ac
yn ymfalchïo yn ei llwyddiant ysgubol. Pawb ond Mali.
Roedd Mali ei dychymyg hi yng nghefn y dorf yn
rhywle. Doedd hi ddim yn cymeradwyo nac yn
ymfalchïo yn ei gorchestion. Fel hyn yr oedd hi bob tro
yr oedd llwyddiant yn dod i'w rhan. Ac roedd hynny'n ei
wneud o i gyd gymaint melysach rywsut. Rhaid cael
rhywun, yn does? Rhywun sy ddim cweit yn gallu
gorfoleddu yn eich gorchestion? Rhaid cael rhywun yn
rhywle fyddai'n rhoi eu braich dde am gael yr hyn a
ddaeth i'ch rhan, ac yn cael eu corddi am na chawson
nhw'r clod a'r bri sy'n cael ei dywallt arnoch chi. Rhaid
cael hynny'n does? Neu tydi ennill ddim hannar
gymaint o hwyl.

Yr un noson yn union, roedd Mali hithau ar goll yn ei
dychmygion melys. Roedd hithau'n esgyn i fyny'r
grisiau yn y babell fawr ac roedd hithau'n derbyn tlws
gan bwysigyn na wyddai hi eto pam yr oedd o'n bwysig,
ond roedd o'n rhoi tlws iddi, yn arwydd ei bod hithau
wedi cyrraedd rhywle, ac y gallai hithau neud rhywbeth
oedd yn well nag y gallai neb arall ei neud. Roedd
hynny'n bwysig i ddyn. Byddai lluniau ohoni hithau yn
y papur rŵan, *ac* ar y seidbord, *ac* ar waliau ei stafell, yn

gymysg â rhubanau a sytifficets am yr anifail anwes gorau yn y sioe.

Roedd Mrs Prydderch yn y gegin yn dal i chwysu dros ei blodau. Roedd pethau wedi mynd o chwith braidd hefo'r paratoadau. Doedd y sbwnj ddim wedi codi fel y dylai ac roedd lliwiau'r eisin wedi dechra rhedag i'w gilydd wrth addurno'r gacen ben-blwydd i blentyn pumlwydd. Roedd Brengain rŵan yn crafu'r eisin rhedegog fel y gallai Mrs Prydderch achub peth ar y drychineb yn nes ymlaen. Roedd hi wedi ennill yr adran yma ers pymtheng mlynedd bellach, a doedd hi ddim am ildio'i choron ar chwara bach. Ond yn waeth na dim, roedd Sam wedi codi'i goes dros y gwely blodau lle roedd y pabi coch yn ei lawn ogoniant, ac wedi sathru'r petalau dan draed. Roedd hi'n gandryll. Sut ar wyneb y ddaear yr oedd modd iddi ddehongli 'Y Machlud' heb y pabi coch? Mae'r pabi'n flodyn bregus ar y gorau ond roedd o rŵan yn un smonach blêr hyd y border a doedd dim modd achub yr un petal. Ond roedd hi wedi gwneud gwyrthiau hefo'r Fari Waedlyd a'r blodau Mihangel a bysedd y cŵn oedd yn tyfu'n wyllt wrth y ffos. Roedd Brengain yn syllu'n gegrwth arni'n creu rhyfeddod o'i blaen hefo mymryn o betala.

'Brengain, wyt ti'n crafu'r eisin ne' wyt ti am ddal pryfed drw' nos?' gofynnodd Mrs Prydderch iddi'n sydyn.

'Sori, Mrs Prydderch,' medda Brengain. 'Ond ma' hwnna'n gampwaith.'

Mae dyn yn licio cael 'i frolio ond, yn rhyfadd iawn, wedi'r brolio, rhyw gymryd arno na tydio ddim yn gampwaith o gwbwl neith o hefyd.

'Ewadd nac'di, Brengain bach,' medda hitha'n llawn ffwdan. 'Fydd 'na ddega yno'n well na hwn siŵr iawn!' A hitha'n gwbod o'r gora na fydda 'na ddim un yno'n agos at fod cystal. Ac os bydda 'na amball un arall o'r 'chwiorydd' wedi gwneud ymdrech lew eleni, roedd Mrs Prydderch wedi sicrhau na fydda'r beirniad yn simsanu o'r drefn arferol beth bynnag. Roedd Mrs Eluned Parry, Grugan Wen, wedi bod yno i swper yr wythnos cynt. Nid fod yna unrhyw beth o'i le ar wahodd beirniad i swper wrth gwrs. Ddudon nhw 'run gair am y gystadleuaeth, chwara teg, er tegwch â phawb a phopeth. Ond roedd yna ryw gytundeb cudd rhwng y ddwy, a doedd dim angen deud 'run gair. Felly roedd petha wedi bod ers blynyddoedd.

Yn y tŷ yr oedd Morgan hefyd, am allan o hydion, yn gwylio pawb yn mynd a dod, a chynnwrf y bore trannoeth wedi cydio'n dynnach fyth ynddo fynta erbyn hyn. Roedd yr hen fusnas cystadlu 'ma'n dechra cydio ynddo. Roedd byd y dyn mor gynhyrfus. Doedd o 'rioed wedi cael edrych ymlaen at unrhyw beth i'w gymharu â hyn. Pam na châi rhywbeth fel hyn ddigwydd yn amlach? Pam na châi fynd i sioeau eraill hefo'r teulu? Pam na châi o fod yn ddyn?

Roedd Trygar a Mr Prydderch allan yn y beudy. Roedd pob anifail oedd yn cystadlu dan do heno, a phob un ohonyn nhw'n cael y sylw manylaf. Roedd gan Rhydlasau enw i'w gadw. Enw, gobeithio, fyddai'n britho tudalennau'r papur lleol pan gyhoeddid rhestr y buddugwyr ym mhob adran. Ac roedd Morgan yn rhan o'u cynlluniau, yn rhan bwysig o'u cynlluniau erbyn hyn wrth gwrs. Y gyfrinach fawr. Morgan a Mali fyddai sêr y sioe gyda mymryn o lwc.

Roedd hi'n oria mân y bore arno'n cyrraedd yn ei ôl i'r twlc, ac roeddwn inna erbyn hynny wedi colli pob awydd i gychwyn rhesymu hefo fo. Ond rhywsut neu'i gilydd roedd yn rhaid imi drio'i gael o i ddalld be oedd o'n 'i neud. Roeddwn i am iddo wybod pam yn union roedd pawb ar fuarth Rhydlasau'n ei alw'n fradwr.

'Lle ma' dy glustia di wedi mynd?' meddwn i wrtho fo pan ddawnsiodd o i mewn i'r twlc ar flaena'i garnau sgleiniog. Roedd Mali wedi ei sgrwbio'n lân ac wedi ei siarsio i gysgu ar y gwair roedd hi wedi ei daenu yng nghornel bella'r twlc. Mi sefodd yn 'i unfan pan welodd y llanast ar y gwellt.

'Dy frodyr sy wedi baeddu'r gwair m'arna i ofn, Morgan,' meddwn i, pan welodd o fod y sarn yn garped o faw moch. '*Nesh* i drio deud wrthyn nhw am beidio, ond mi wyddost na tydyn nhw'n gwrando dim arna i erbyn hyn.'

Roedd y cwbwl ohonyn nhw wedi mynd fesul un a gwneud eu busnes dros ei wely glân o, ac roedd eu protest dawel, filain wedi fy hitio fel gordd yn fy stumog. Roedd o'n amlwg fod yr un gordd rŵan yn trywanu ei stumog yntau.

'Lle dwi'n mynd i gysgu felly, Mam?' medda fo'n drist.

'Fyny i chdi, Morgan bach. Ma'r gwellt pen yma fymryn glanach.'

'Ma' Mali wedi'n siarsio fi i beidio maeddu cyn bora fory,' medda fo'n llawn poen. 'Ma'r gystadleuaeth ben bora a fydd ganddi'm amser i fy sgrwbio i a fy sychu cyn i bawb fynd i'r sioe!'

Fel dwi wedi deud eisoes, tydan ni foch ddim yn anifeiliaid budron. Mor hawdd ydi credu yr hyn sy'n cael ei sodro yn eich cof. Mor rhwydd ydi coelio mewn celwydd. Edrychodd Morgan yn fud ar y llanast roedd ei frodyr wedi'i wneud ar ei wely.

'Doedd 'na affliw o ddim fedrwn i neud am y peth, Morgan, wir!'

'Ond pam ta? Pam ma' nhw'n gneud hyn imi bob gafal, Mam? Pam ma' pawb yn fy nghasáu i gymaint?'

Mae 'na gyfla'n dod i fentro deud weithia, ac mi deimlish ym mêr fy esgyrn bregus mai rŵan oedd yr amser iawn i ddeud wrtho beth roeddwn i wedi'i gynllwynio i ddeud ers sbel. Mi wyddwn fod yn rhaid imi ddeud y celwydd yma wrtho. Os oedd o i beidio gwneud ffŵl ohono'i hun bore fory, roedd yn rhaid deud rhywfaint o anwiredd wrth Morgan.

'Ty'd yma, Morgan. Stedda fan hyn,' meddwn i, gan ei annog i eistedd ar dwmpath go sych yn y gornel bella. Wedi snwyro dipyn arno a gneud yn siŵr nad oedd o'n rhy ddrewllyd mi fentrodd orwedd yn ofalus ar y gwair. Roedd golwg fach drist arno, hyd yn oed hefo'i glustiau wedi'u glynu'n sownd i'w ben; mi fedrwn i ddeud fod ei galon yn ei sodlau. Hefo'n clustiau rydan ni foch yn dangos y rhan fwyaf o'n teimladau, ond doedd dim rhaid imi weld clustiau Morgan heno i wybod fod yr hyn a wnaeth ei frodyr wedi tynnu'r gwynt allan o'i hwyliau'n llwyr. Roedd o wedi dawnsio yma hefo holl obeithion y bore'n berwi yn ei waed, ond rŵan, roedd y weithred 'sgeler yma wedi sigo'i ysbryd o hyd at dorri.

'Be 'dio, Mam? Eiddigedd?'

'Ymhlith petha erill, ia siŵr o fod.'

'Be arall ydio ta? Pam arall ma' nhw'n fy nghasáu i gymaint?'

Roedd o wedi gofyn hyn imi o'r blaen, nifer o weithia. Ond mi wyddwn i heno 'i fod o o ddifri *am* wbod. Roedd o wirioneddol isio mynd at wraidd yr atgasedd oedd rŵan yn stremp dros 'i wely bach o.

'Wyt ti isio i mi ddeud y cwbwl wrthat ti, Morgan?'

Ddaru o ddim atab yn syth. Mi fydda'n meddwl yn o ddwys weithia cyn deud dim. A phan ddaru o ymateb i nghwestiwn i, dim ond un gair ddudodd o. Yn ddistaw, ddistaw bach mi ddudodd – 'Ydw...'

Roeddwn i'n ymbalfalu am abwyd i gychwyn ar fy ymdrech i ymresymu hefo fo. Rhyw air neu ryw frawddeg fydda'n taro'n iawn. Ddaeth 'na 'run. Ond roedd rhaid cychwyn yn rwla.

'O gwranda ta... Ers iti fod yn mynd i'r tŷ, dwyt ti ddim wedi holi rhyw lawer am dy dad, yn naddo Morgan?'

'Dwi ddim yn cofio nhad. Felly pam dylwn i holi?'

'W't ti wedi holi Mali'n dwll am Dduw, a doeddat ti'n nabod dim ar hwnnw chwaith.'

'Dim fi oedd yn holi. Mali oedd yn deud.'

Roedd ganddo ateb i bopeth. Rhinwedd dyn yw ei ffaeledd penna hefyd yn amal iawn. Ac roedd Morgan yn mynd yr un ffordd yn union.

'Ma' dy *frodyr* wedi holi am dy dad. Fy holi fi'n dwll ar brydia.'

'Ydyn nhw?'

'Ma' rhan fwya ohonan ni isio gwbod rwbath am ein gorffennol weithia, wsdi.'

'I be?'

'Dw't *ti* ddim?'

Doeddwn i ddim yn disgwl yr atab ges i,

'Dwi'n gwbod na tydio'm yn un hapus iawn,' medda fo'n syth, heb unrhyw fath o deimlad yn ei lais. 'Dyna pam dwi'm isio gwbod, Mam. Dwi'm isio gwbod am y tristwch.'

Yn sydyn mi gofiais am Goewin, a'r holl straeon fyddwn i'n eu hadrodd iddo lle bydda'n rhaid imi neidio dros y mannau creulon. Dim ond arlliw o drais neu dristwch ac mi fydda'n rhaid troedio'n ofalus iawn hefo Morgan.

'Ond tydi'r stori ddim yn gyflawn heb iti wbod, Morgan.'

'Gwbod be?' medda fo'n dawel.

'Am dy dad. Am yr hyn ddioddefodd o dan law dyn.'

Tawelwch eto am sbel. Yna mentrodd.

'Dudwch ta.'

Doedd 'na ddim unrhyw fath o argyhoeddiad yn ei lais. Ond o leia roedd o wedi agor y drws i mi. Roedd gen i fan cychwyn os nad oedd gen i ddim byd arall. Ac mi gychwynnais adrodd stori'r winllan wrtho. Mi ddudish i hi'n union fel y digwyddodd hi. Mi ddudish am yr afalau, mi ddudish am y cŵn yn cyfarth ac am Trygar a Mr Prydderch a'u ffyn. Yna mi soniais fel roedd Ponty wedi colli pwysau'n ofnadwy, ac fel y cwffiodd i gadw'i urddas hyd y diwedd.

'Be nath Mr Prydderch iddo fo ta, Mam?'

'A Trygar. Roedd ynta yno hefyd, Morgan. Mr Prydderch, Trygar a'i gŵn.'

'Be ddaru nhw iddo fo?'

'Mi lladdon nhw fo dan yr hen drefn, Morgan,'

meddwn i, heb faglu dim dros fy nghelwydd. 'Mi llusgon nhw fo i'r llaethdy a'i hongian o ben ucha i waered. Ac yno, yng ngŵydd yr anifeiliaid i gyd, fe hollton nhw'i gorn gwddw mewn un rhwyg. Roedd o'n gwichian ac yn gwingo mewn ofn, a phan bylodd 'i sgrech ola fo o'r garreg ateb ar waelod cae pella roedd 'na ffrwd fechan goch-ddu yn llifo o'r llaethdy i ganol y carthion. A'r piod a'r brain yno'n snwyro am damaid o gig yn ei waed.'

Doedd dim angen glud rŵan i ddal ei glustia bach o'n sownd i'w ben o. Mi wyddwn o'i lygaid fod pob owns o sbonc wedi mynd ohonyn nhw. Tydan ni ddim yn colli deigryn fel yr ydach chi, ond mi rydan ni'n crio – tu fewn. Ac mi wyddwn i fod Morgan yn wylo'n hidl yr eiliad honno.

'Be dwi'n mynd i neud, Mam?'

'Fydd raid i ti fynd i'r sioe yn bydd, Morgan bach. Does gen ti ddim dewis yn hynny o beth.'

'Bydd, dwi'n gwbod,' medda fo'n drist.

'Ond ma' gen ti ddewis be sy'n digwydd *wedi* iti fynd.'

Dwi'n gwbod na ddaru o ddim cysgu winc y noson honno. Roedd ei galon fach o wedi suddo'n is na'r gwair oedd ar ei wely. Roedd bore fory'n agosáu. Diwrnod y sioe. Diwrnod ola'i fywyd o.

13

Be 'dach *chi*'n feddwl? Taswn i wedi peidio deud celwydd. Taswn i wedi'i annog i fynd i'r sioe a siarad. Be fydda chi wedi'i neud tasa chi'n fy lle i? Fasach *chi* wedi gneud *rwbath* i'ch plentyn *chi* gael byw? Wrth gwrs y basach chi. Ond fyddach chi am i'ch plentyn chi fyw fel mochyn yn lle marw fel dyn? Ma' rhai ohonach chi wedi dechra simsanu erbyn rŵan siŵr o fod. Ond dw inna'n simsanu hefyd os ydio o unrhyw gysur ichi. Mi fyddwn i rŵan wedi rhoi unrhyw beth i gael Morgan yn ei ôl. Er gwaetha teyrngarwch y meibion eraill i gyd, er gwaetha'r ffaith na ches i mo'i fagu hanner gymaint ag y carwn i fod wedi gneud, Morgan oedd cannwyll fy llygaid i serch hyn i gyd. Mi rown y byd yn grwn am gael ei weld o rŵan. Hefo *fo* byddwn i'n sgwrsio fwy na neb, hefo *fo* byddwn i'n treulio oria bwy gilydd yn rhoi'r byd a'r betws yn ei le. Roedd o a finna wedi bwrw'n c'lonna i'n gilydd yn yr oriau mân. Yr oriau mawr. Iaith *sy*'n clymu pobol. Sgwrsio sy'n eich tynnu chi'n nes. Mae teyrngarwch hefyd, wrth gwrs, ac roeddwn i'n edmygu'r meibion eraill am hynny. Pob un ohonyn nhw'n foch glân gloyw, yn foch i'r carn, ac roedd gen i feddwl y byd ohonyn nhw. Roeddwn i'n eu caru oherwydd hynny. Ond roeddwn i'n nes at Morgan. Mi fyddwn i wedi gallu deud fy nghyfrinach fawr wrtho fo. Wedi gallu rhannu'r hyn oedd rŵan yn achos gymaint o dristwch i mi. Mi fyddwn wedi gallu deud wrth Morgan mod i'n feichiog.

★ ★ ★

Roedd Mali wedi codi hefo'r wawr. Ac yng nghanol Gorffennaf mae'r wawr yn y partha yma'n drybeilig o fuan wrth gwrs. Erbyn hyn roedd y glaw wedi cilio ac roedd ymylwaith aur dros y copaon yn addewid am ddiwrnod go dda wedi'r cyfan. Roedd Morgan wrth y giât yn aros am Mali, gan nad oedd o, ar boen ei fywyd, am iddi weld y llanast ar ei wely. Doedd ei ddillad o ddim mymryn gwaeth am nad oedd o wedi cysgu winc drwy'r nos, ac felly doedd yna ddim rhych yn agos i'w wasgod fach goch o. Er gwaetha'i ofidiau, ac er imi ddeffro teimladau cryfion yn ei ymasgaroedd yn erbyn ei feistri, roedd yn amlwg yn falch o weld Mali. Roedd y cwlwm rhwng y ddau mor gryf ag erioed. Fedrwch chi ddim dad-wneud peth felly dros nos, yn amlwg. Roedd o'n mwynhau ei mwytha ac yn yfed ei sylw.

Doedd hi ddim bellach yn gallu codi Morgan o gwbwl. Roedd o rŵan yn fochyn yn ei lawn dwf. Yn fochyn nobliach na'r un o'i frodyr hyd yn oed. Yr holl borthi wedi troi'n besgi, yr holl fwyd wedi troi'n flonag. Yn sydyn mi ges i ddarlun ohono yn ymladd yn erbyn y gweddill am ei deth. Y mochyn bach eiddila welsoch chi erioed. Mi welais i Mali'n ei godi i'w breichiau a'i ddwyn i'r tŷ. Mi welais ei ddillad bach glas ac mi welais o wedi ei rwymo mewn cadachau. Mi glywais o'n siarad yng ngwaelod yr ardd ac mi welais ei frodyr yn baeddu ei wely. Mi welais i o'n cael ei ladd. Yn union fel y lladd a ddisgrifiais iddo yn y celwydd neithiwr. Mi wibiodd ei holl fywyd bach o flaen fy llygaid.

Rhoddodd un edrychiad arna i cyn rhedeg yn herciog at draed ei feistres. Roedd o wedi mynd o'm golwg i'r tŷ. Morgan druan. Beth yn y byd mawr oedd yn mynd trwy'i feddwl bach o?

Wedi iddo fynd o'r golwg daeth Sam i lawr o'r daflod a rhedeg i gyfeiriad cae pella. Doedd o'n amlwg ddim gwaeth ar ôl ei gerydd y noson cynt. Roedd Mrs Prydderch yn gandryll hefo fo am y llanast wnaeth o yn y gwely bloda ac wedi'i alw fo'n bob enw dan haul. Ond yn amlwg roedd maddeuant rhad i'w gael wedi mynd yn ôl i breifatrwydd y daflod. Roedd ynta'n gwbod fod y diwrnod mawr ar droed a Trygar yn mynd â fo am ei ymarfer ola cyn y treialon. Roedd fflach yn ei lygaid a thân ym mhob gewyn, a chwiban Trygar yn boddi clochdar yr hen geiliog ddiawl oedd wedi bod wrthi ers cyn i'r wawr feddwl torri. Mor anystyriol oedd y newydd-ddyfodiaid yma i'n plith. Hen adar dŵad heb unrhyw gonsýrn am anghenion neb arall.

Dipyn yn arafach y daeth Nel i lawr y grisiau. Roedd yn edrych i gyfeiriad cae pella hefo cymysgedd o genfigen a hiraeth, ac roedd y rhimynnau gwynion o amgylch cannwyll ei llygaid yn arwydd nad oedd henaint ond rownd y gornel. Mor afrosgo yr edrychai rŵan o'i chymharu â Sam. Mae siom a henaint mor amlwg ar osgo pob ci. Arhosodd yn ei hunfan am sbel i gael ei gwynt ati, ac yna, edrychodd arnaf, i fyw fy llygaid. Doedd neb wedi gwneud hynny ers sbel rŵan ac roedd yn deimlad rhyfedd. Roeddwn wedi dechra cynefino hefo pawb yn fy anwybyddu. Cerddodd Nel yn syth i gyfeiriad y twlc, ond erbyn hyn roedd ei golygon yn rhywle arall. Roedd yn edrych ar y mynyddoedd ac ar y mymryn o haul swil oedd yn sbecian rhwng y cilfachau. Eisteddodd wrth ymyl y twlc i fwynhau'r mymryn gwres oedd yn yr awyr a dylyfodd ei gên. Does neb yn dylyfu gên fel ci. Bron nad oedd hi'n dangos yr hyn a gafodd i frecwast imi. Ddudodd hi 'run gair. Mond edrych yn hir i gyfeiriad cae pella. Fi fentrodd ddeud rwbath yn gynta. Roedd hi'n rhyfedd clywed fy hun yn siarad hefo rhywun 'blaw Morgan. Doeddwn i ddim wedi gneud hynny ers acha. Hen gychwyn sâl oedd o hefyd. Fedrwn i ddim meddwl am drywydd call i danio'r sgwrs. Mae'n anodd ar ôl cyfnod mor hesb o unrhyw ddeialog. Ond doedd ei hateb hitha fawr gwell.

'Fora braf,' meddwn i'n ddigon clên.

'Ydi ma'i,' oedd ei hunig ymateb.

''Dach chi am y sioe?' meddwn i wedyn.

'Na. Mond Sam sy'n mynd i'r sioe.' Roedd hynny'n amlwg yn ei chorddi, a hynny hefo hufen oedd eisoes wedi suro.

'Hon fydd y sioe gynta imi golli,' medda hi wedyn. 'Sam 'di bob dim ginno fo'r dyddia yma 'di mynd. Hyd yn oed pan nath o lanast o betha ddoe a phiso ar y gwely bloda mi oedd yr haul yn dal i wenu drw' dwll din y cythral.'

Doedd iaith y cŵn ddim bob amser yn hawdd dygymod â hi. A dwi ddim am eu dyfynnu'n llawn yma. Fedrwn i ddim. Dim ond beth sydd ei angen. Roedd iaith dyn wedi mynd yn beth digon salw, yn mynd yn debycach i iaith nadroedd bob dydd, a'r cŵn oedd y cynta i'w efelychu. Rhaid ichi ddefnyddio'ch dychymyg m'arna i ofn, a llenwi'r geiriau aflednais lle bynnag medrwch chi pan fo Trygar a'r cŵn yn siarad.

Roedd yr awyr yn las rŵan hefo rhegfeydd Trygar yn atseinio o'r cae pella. Ond doedd hyn yn rhoi dim math o blesar i Nel druan, er y gwyddai mai Sam oedd dan ei lach. Roedd rhegfeydd Trygar yn dynfa iddi, yn atyniad na fedra neb ond ci ei ddalld. Roedd yn arwydd o gariad iddyn nhw. Y dyn yn eu gwthio i'r eithaf. Roeddan nhw wrth eu bodd hefo'r ffasiwn ddisgyblaeth. Y fath feistrolaeth. Ysai rŵan am ei gael i'w rhegi *hi* unwaith eto. Ei galw *hi*'n bob enw dan haul er mwyn iddi gael ufuddhau. Ond Sam oedd ei was ufudd erbyn hyn, ac roedd yn amlwg yn feistr ar ei grefft, a Trygar yn feistr corn arno yntau. Roedd yn rhedeg fel milgi hyd y caea ac yn aros fel delw ar chwiban ei feistr, yna, fel teigr yn cau am ei brae, symudai'n isel, llechwraidd fel nad oedd llygaid yr un ddafad yn ei ddal yn rhy fuan a gwasgaru'r praidd. Mor osgeiddig oedd o. Mor ufudd. Mor ifanc.

'Enillith o 'dach chi'n meddwl?' gofynnais i Nel.

'Mae ganddo siawns go dda,' oedd yr unig ateb a gefais. Yna, 'Mae o'n uffernol o ddiamynadd weithia. Mi fedrith neud llanast ohoni os na watsith o Trygar drw'r amsar. Fedar y peth lleia fynd â'i sylw fo ar ddiwrnod gwael.'

Erbyn hyn roedd yr ieir wedi dechra hel o gwmpas y twlc. Roeddan nhw wedi cael achlust fod Nel wedi pwdu ac yn meddwl byddan nhw'n cael rhyw friwsion o'r sgwrs. Ond codi ddaru Nel yn syth pan ddaethon nhw o fewn cyrraedd clywed a mynd yn ei hôl i'r daflod. Mi syllodd yr ieir arna i am sbel, ond fagodd yr un ohonyn nhw ddigon o blwc i ofyn 'run dim. Mond symud eu gyddfau o un ochr i'r llall fel tasan nhw 'rioed wedi gweld mochyn o'r blaen.

Maldwyn oedd y cynta i godi o'r twlc.

'Mae o *wedi* mynd ta,' medda fo'n swta.

'O, Maldwyn. Chdi sy 'na,' meddwn i'n reit glên. 'Ti'n siarad hefo fi heddiw ta?'

'Hefo fi'n hun o'n i'n siarad. Gin i hawl i neud peth felly siawns.' A ffwrdd â fo am y cafn yr oedd Mr Prydderch yn ei lenwi cyn mynd i newid o'i ddillad gwaith. Fesul un mi gododd y gweddill a mynd yn syth at y cafn heb ddeud yr un gair. Doedd gen i ddim stumog i ymuno hefo nhw.

14

Roedd hi fel ffair acw erbyn saith a phawb yn barod i
adael. Caron yn ei gerbyd newydd a Mr Prydderch
wrth y llyw. Roedd 'na nifer o gerbydau eraill hefyd, yn
blith draphlith hyd y buarth. Byddai ganddyn nhw
fyddin o weision yn rhedeg a rasio iddyn nhw ar
ddiwrnod sioe, a doedd heddiw ddim yn eithriad. Roedd
Mrs Prydderch a Brengain wedi cario pob potyn o jam a
phob petal o'r cynnyrch y bu hi'n ymlafnio i'w gorffen
yn oriau mân y bore i mewn i'r car.

'Cym bwyll hefo'r wya, Brengain bach! Dyna'r dwsin
gorau sydd gen i.'

Doedd hi ddim y fwya gosgeiddig o holl forynion y
byd, a doedd hi ddim wedi arfer rhyw lawer â cherdded
ar draws y buarth, yn enwedig yng nghanol y fath
gynnwrf. Y gegin yn unig ydi libart yr hen Brengain y
rhan fwyaf o'r amser. Tydi slipars chwaith ddim yn beth
call i fod yn troedio llwybrau llithrig, llysnafeddog
unrhyw iard ffarm ynddyn nhw. Bu ond y dim i'r wyau
fynd yn deilchion bob un ond fod Trygar yno i'w dal.
Merch syml iawn oedd Brengain. Ac roedd cael Trygar
yn gafael yn dynn ynddi i'w hachub wedi dod â
chynnwrf rhyfedd i'w stumog. Cynnwrf na theimlodd hi
'rioed mo'no o'r blaen.

'Rho rwbath callach am dy draed tro nesa, yr ast

wirion,' medda fo wrthi. Llaciodd y cwlwm yn ei stumog ac aeth yn ei hôl i'r tŷ.

Roedd Mrs Prydderch am gario 'Y Machlud' ar ei glin, gan fod Trygar yn yrrwr mor wyllt. Doedd fiw gofyn iddo gymryd pwyll gan nad oedd ei reddf yn caniatáu peth felly. Gadawodd y cacennau ar y bwrdd yn y gegin tan y prynhawn. Doedd hi ddim yn hapus i fod yn cario bwydiach yn yr un cerbyd â'r ci a'r mochyn. A beth bynnag, doedd ambell deisen ddim eto wedi llawn orffen oeri. Gallai ddod yn ei hôl i roi ei holaf sglein arnyn nhw unwaith y byddai'r blodau a'r jam a'r catwad a'r wyau yn eu lle ac yn barod i'w beirniadu. Doeddan nhw ddim yn cloriannu'r cacennau tan y pnawn beth bynnag.

Doedd Mr Prydderch ddim am arddangos ei foch 'leni. Doedd o ddim wedi gneud ers rhai blynyddoedd bellach. Os cofia i'n iawn, Ponty oedd yr olaf o'r moch i gystadlu yn y sioe ganddo. Roedd o wedi pwdu am nad oedd o'n gneud yn rhy dda yn yr adran honno ers rhai blynyddoedd. Does neb yn rhyw siŵr iawn pam, ond doedd 'na'r un mochyn o Rydlasau wedi cael ei arddangos yn y sioe ers tro byd.

Daeth Mali o'r tŷ hefo Morgan yn ei dilyn yn ufudd. Yn syth pan gwelish i o mi wyddwn mod i wedi gwneud y peth iawn. Roedd ganddo sbectol am ei drwyn a chap â phig am ei ben, ac ar ei gefn roedd yn cario bag ysgol bach gwyrdd a'r geiriau 'Y Sgolor' arno. Chwarddodd pawb pan welon nhw fo'n dilyn Mali i mewn i'r car. Ond doeddwn i na gweddill yr anifeiliaid ddim yn chwerthin. Mi safon ni yno'n syfrdan yn ei wylio'n dringo i mewn i'r car ar ôl Mali, ac mi allech daeru mai plentyn oedd o. Plentyn yn mynd i'r ysgol ar ei ddiwrnod cyntaf. Ond

Morgan oedd o. Morgan fy mab i oedd y tu ôl i'r ffasâd yma o blentyn. Fydda waeth iddo fo fod wedi bod mewn syrcas ddim, fel yr oeddwn i wedi amau. Dyrchefais fy llygaid tua'r copaon, ac os *oedd* yna Dduw, gofynnais iddo roi nerth iddo beidio yngan yr un gair yn y sioe. *Os* oedd yna Dduw.

Gwyliais weddill y cerbydau'n diflannu i lawr yr allt, a Nel yn eistedd yn ufudd ar waelod grisiau'r daflod yn aros i'w meistr ddod yn ôl. Thynnodd hitha mo'i llygaid oddi ar y lôn drol oedd yn arwain tua'r briffordd nes y diflannodd y cerbyd ola. Yna dylyfodd ei gên unwaith eto a rhoi ei phen ar ei 'phalfau blin', a chysgodd. Roedd hi'n gwybod y byddai'r aros yn hir. 'Hir pob aros,' meddan nhw, 'wedi gorffen eu gwaith.'

* * *

Gallwch glywed sŵn y sioe o Rydlasau ar ddiwrnod go lonydd. Sŵn y ffair ydio fwya wrth gwrs. Chlywch chi 'run fref na gwehyriad dros sŵn y ffair. Rhaid cael ffair ym mhobman y dyddia yma. Mae hi'n denu'r tyrfaoedd, ac yn dod ag arian i'r coffra bob blwyddyn yn ddi-ffael. Cewch fynd iddi i ddathlu yn eich llwyddiant a boddi'ch siomedigaethau cystadleuol. Cewch anghofio'ch hun mewn ffair. Ond tydio ddim yn sŵn braf i wrando arno chwaith. Nid fel y plygain. Sŵn lleisiau'n eich annog i sgrechian mwy. Sŵn ofn a sŵn drymiau, sŵn chwerthin afreolus a sŵn canu aflafar. Sŵn gyrru'n yfflon i ryw ddiwedd sydyn. Sŵn gwario a meddwi. Sŵn mentro. Sŵn gwagedd. Sŵn rhad. Er cymaint ei thynfa, tydw *i* 'rioed wedi deall apêl y ffair.

Roedd y meibion allan yn y caeau yn mwynhau mymryn o lonydd, a rhaid imi gyfaddef mod i wedi dechrau rhyw hepian yn yr haul fy hun. Roedd ei wres rŵan yn lapio amdanon ni ac roedd hi'n ddiwrnod perffaith i wylio'r heulad pan ddeuai. Heddiw, roedd y lleuad yn mynd i groesi o flaen yr haul yn gyfan gwbwl, ac roedd 'na gryn sôn am hynny wedi bod hyd y lle 'ma. Roedd Mrs Prydderch wedi mynd â thameidiau o wydr tywyll hefo hi fel y gallech chi edrych drwyddyn nhw ar yr haul, a gwylio'r lloer yn ei foddi'n araf nes y bydda hi'n nos arnon ni – am sbel. Doeddwn i erioed wedi gweld heulad o'r blaen. Tydio mond yn digwydd rhyw unwaith yn y pedwar amsar meddan nhw.

Tydi'r sêr a'r planeda'n wyrthiol? Fydda i'n edrych allan yna weithia ac yn meddwl tybad a oes yna blaned yn debyg i hon yn rhywle arall? Oes yna rwla arall yn y bydysawd yna lle mae 'na greaduriaeth yn troedio'i llwybra hi? A fydda i'n meddwl hefyd, os *oes* yna ffasiwn beth yn bod, os *oes* yna fywyd ar un o'r planedau eraill yna allan yn fan'na, oes yna unrhyw greaduriaid arni yn cael eu trin fel moch? Gobeithio i'ch nefoedd nad oes.

Roeddwn i wedi syrthio i drymgwsg yn y diwedd, mae'n rhaid, achos pan ddeffrish i roedd yr haul gryn dipyn yn uwch yn y ffurfafen ac roedd hi'n llethol, bron yn annioddefol o boeth erbyn hyn. Does gan foch ddim chwarennau chwys, ac felly rhaid morol cysgod mewn tywydd rhy boeth. *Yn* symud tua'r twlc i geisio dipyn o gysgod oeddwn i pan glywais sŵn car yn hefru i fyny'r lôn drol tua'r tŷ. Trygar oedd yno yn dychwelyd o'r sioe a Nel yn eistedd yn y tu blaen hefo fo a'i thafod allan yn awchu am lymaid. Fe neidiodd allan o'r car ac yn syth am y beipen ddŵr a sefyllian yno nes i Trygar ddod a'i chwistrellu i glaearu mymryn arni a'i disychedu. Roedd

Nel yn amlwg ar ben ei digon, a'i mistar hefyd, ac roedd y gwpan arian ar fonat y car yn disgleirio ym mhelydr yr haul yn dyst pefriog i'w llwyddiant yn y sioe. Neidiai'n uchel fel yr oedd Trygar yn chwarae gyda llif y dŵr. Rhoddai sbonc sydyn i ddal cegaid ohono ac roedd Trygar yn wên o glust i glust yn ei gwylio'n mynd trwy'i champau. Pan ddaw llwydd, mor rhwydd y mae dyn yn gwenu. Roedd wyneb Trygar yn newid yn llwyr pan oedd yn gwenu. Bron na fyddach chi'n deud ei fod yn ymylu ar y golygus.

Daeth Brengain i'r drws yn llawn cynnwrf.

'Be ddigwyddodd ta?'

'Mond be oeddan ni'n ddisgwl, siŵr Dduw.'

Toes gan rai pobol ryw dinc sur yn 'u llais pan maen nhw'n siarad hefo pobol sy'n llai galluog na nhw?

'Enilloch chi?' gofynnodd wedyn, yn llawn awyddfryd plentynnaidd.

'O, be *ti*'n feddwl?'

Rhoddodd Brengain sgrech fach wirion yn ei chynnwrf a thaflodd ei breichiau am wddw Trygar a'i gofleidio'n wirion. Dychrynodd hwnnw braidd pan afaelodd hi ynddo. Doedd o ddim wedi teimlo cnawd merch mor agos â hyn ers sbel. Ac yn sicir doedd *Brengain* ddim wedi bihafio fel hyn tuag ato fo 'rioed o'r blaen.

'Callia nei di hogan,' medda fo, gan ddal i wenu. Roedd o'n eitha mwynhau cynnwrf diniwed y ferch fach benwan 'ma oedd yn ei gofleidio fel hyn. Lle cafodd hi'r ffasiwn hyder tybad? Nid dyma'r Brengain swil arferol.

'Gymi di rwbath i'w yfad?' medda hitha, gan wenu'n wirion arno. Roedd Brengain wrth ei bodd hefo'r dathlu ysbeidiol 'ma fydda'n digwydd ar ddiwrnod sioe. Byddai rhyw fynd a dod dragwyddol rhwng gwawr a gwely bob tro. A chan nad oedd hi 'rioed wedi cael cyfle i fynd yno'i hun, roedd yn rhaid i rywun aros ar y fferm i gadw llygaid ar betha, ac felly'r mân ddathliadau yma fyddai uchafbwynt y dydd iddi hi.

'Be sgin ti i gynnig felly?' medda Trygar yn reit chwareus. Roedd y goflaid drwsgwl gafodd o gan Brengain wedi deffro rhyw gosi y tu mewn i'w fogal nad oedd o wedi'i brofi ers tro byd rŵan. Doedd o ddim wedi teimlo fel hyn ers sbel.

'Gin i seidar cartra'n y pantri,' medda hitha'n ddiniwad. 'Dwi 'di ca'l joch ne' ddwy ohono fo'n barod.' Ac mi chwarddodd yn wirion.

Gwelodd Trygar ei gyfla. Edrychodd o'i gwmpas. Doedd 'na neb ar y buarth. Roedd y cosi'n ymchwyddo'n gynnwrf a theimlodd ryw angen cyntefig yn gafael ynddo. Angen nad oedd wedi'i ddiwallu ers oes.

'Lle mae o gin ti?'

'Lle ma' be?' Chwerthiniad fach arall oedd yn awgrymu mwy.

'Y seidar 'ma 'de.'

'Yn pantri medda fi. Lle arall ti'n feddwl mae o?'

'Pantri ia?'

'Ti'sio peth?'

'Os ti'n cynnig.'

'Mae o'n oer, oer, ag yn torri sychad yn syth.'

'Ti 'di meddwi?'

Gwenodd Brengain a rhigian cyn ateb, 'Dipyn bach 'de. Mond dau dwi 'di ga'l.'

Cerddodd Trygar i'r tŷ gan ddeud, 'Ty'laen ta. Be 'dan ni'n ddisgwl? Gin i uffar o sychad.'

Rhoddodd slap fach chwareus ar ei phen-ôl ac mi chwarddodd Brengain yn wirion eto cyn dilyn Trygar i'r gegin. Llymeitian buon nhw wedyn am sbel ac mi grwydrais innau'n ôl tua'r twlc. Ond wrth basio'r car mi glywais sŵn bach yn dod o'i gefn wnaeth imi fferru yn fy unfan. Sŵn crio isel oedd o. A'r sawl oedd wrthi'n wylofain yn ymladd i fygu'r sŵn rhag i neb ei glywed. Mi wyddwn o'r cychwyn mai Morgan oedd o, ond fedrwn i neud dim. Roedd o wedi'i gloi yng nghefn y car yn y gwres crasboeth ganol dydd ac yn amlwg mewn gwewyr, ond doedd yna goblyn o ddim byd y gallwn i ei neud i'w ryddhau. Mor hurt dwi'n teimlo ar adegau fel hyn. Fedrwn ni ddim ymdopi â thechnoleg dyn. Tydi'n cyrff na'n ffurf ni ddim wedi'u llunio i gydasio â dyfeisgarwch dyn. Roedd fy mab yn rhoch-lefain yng nghefn y modur a fedrwn i neud affliw o ddim i'w helpu.

Sŵn gwydr yn syrthio i'r llawr a malu'n deilchion aeth â fy sylw a Brengain yn gweiddi, 'Na! Paid! Plis, Trygar… Paid!'

Doedd dim y gallwn ei neud i Morgan druan ar hyn o bryd ac felly mi es yn ôl at ddrws y gegin i weld beth oedd yn digwydd. Roedd Brengain druan ar lawr y pantri a Thrygar â'i law dros ei cheg ag yn pwnio fel y cythraul. Roedd y forwyn fach erbyn hyn wedi derbyn ei thynged a mwy neu lai wedi peidio ymladd yn ôl. Fedrwch chi ddim, dim yn erbyn crwmffast o ddyn sy'n gryfach ac yn glyfrach na chi. Roedd ei llygaid ar gau a'i cheg yn dynn a'r dagrau'n llifo. Pwnio oedd o. Pwnio a phwnio a phwnio. *Doedd* o ddim yn caru. Meddiannu oedd o.

Cymryd. Roedd ei blows wedi'i rhwygo ar agor a'i bronnau'n ysgwyd yn hurt o ddi-anwes wrth i'r anifail oedd ar ei chefn gyrraedd ei uchafbwynt swnllyd. Erbyn hyn roedd Trygar yn ebychu ei foddhad gyda phob gwthiad a rôi a'r chwys yn diferu i lawr ei dalcen a'i fochau cochion. Pharodd y cwbwl ddim yn hir iawn. Roedd y cyfan drosodd mewn ychydig funudau a Trygar yn stwffio'i grys yn ôl i'w drowsus a chlymu ei felt wrth groesi'r buarth. Agorodd ddrws y car i mofyn ei gôt a chipiodd y gwpan arian oddi ar y bonat ac esgyn y grisiau i'w wâl. Roedd o wedi derbyn y wobr y bu'n disgwyl ei chael ers amser.

Drwy ryw ryfedd wyrth ddaru o ddim cau drws y car ar ei ôl a llwyddodd Morgan i stryffaglu allan ohono a rhedeg yn syth am y twlc heb yngan 'run gair. Roedd o mewn cyflwr ofnadwy pan ddringodd o allan o'r cerbyd. Nid yn unig oherwydd y siom oedd yn llethu ei galon ond hefyd roedd y gwres tanbaid bellach wedi troi'r car yn ffwrnais. Byddai wedi bod yn annioddefol i ddyn, ond heb y gallu i chwysu roedd Morgan mewn cyflwr go enbyd ac roedd ei wyneb bach o'n bothellau byw.

'Be ddigwyddodd felly, Morgan bach?' gofynnais iddo wedi i'r crio ostegu ryw fymryn yng nghysgod y twlc.

'Dwi'm isio deud,' medda fo'n llawn hunandosturi. Roedd o'n mynd yn debycach i ddyn wrth y funud yn ei natur. Ond rŵan ei fod wedi ei ddiosg o'i wisg a dinoethi ei glustiau unwaith eto, roedd yn *edrych* yn fwy fel mochyn. Fy mochyn bach i.

'Lle ma' dy ddillad di wedi mynd ta?' mentrais wedyn.

'Mali dynnodd nhw,' medda fo'n drist.

'Pam? Be ddigwyddodd, Morgan?'

'Ti'n gwbod yn iawn be ddigwyddodd,' medda fo wedyn, a thinc diamynedd yn ei roch.

''Nest di ddim siarad?'

Atebodd o mona i. Mond syllu allan i ryw wacter llwyd. Mi ges wbod wedyn gan Nel be'n union oedd wedi digwydd. Sam oedd wedi deud yr hanas wrthi hi ac felly mi ges i'r stori o lygad y ffynnon, wel, *bron iawn* o lygad y ffynnon. Roedd 'na hen siarad wedi bod yn y sioe am Morgan. Pawb yn deud fod gan Mali anifail arbennig iawn i'w arddangos yn y gystadleuaeth i anifeiliaid anwes oedd yn gallu cyflawni rhyw dric arbennig. Roedd y babell yn orlawn, nid am ei bod hi'n gystadleuaeth fawr – fel arfer mond rhyw lond dwrn oedd yn mynd i'w gweld – ond wedi'r holl sylw a siarad roedd y diddordeb yn rhyfeddol. Roedd sgiam Mr Prydderch o ddechrau taenu'r stori fod gan Mali'r anifail rhyfedda wedi creu chwilfrydedd mawr yn y dyrfa. Rhyw 'chydig ddyrnodiau'n unig cyn y sioe y dechreuon nhw'r sibrydion, ond heb ddatgelu gormod chwaith. Dim ond digon o abwyd i ddenu cynulleidfa deilwng i'r ffasiwn wyrth. Roedd Ceidiog hyd yn oed wedi dod â rhai o'i ffrindiau o'r coleg i lawr hefo fo iddyn nhw gael gweld drostynt eu hunain y ffasiwn gamp yr oedd ei chwaer fach wedi'i chyflawni. Gallech gyffwrdd yr awyrgylch disgwylgar oedd yn y babell, ac roedd bochau Mali fel dau afal coch gan gymaint ei chynnwrf. Roedd Mrs Prydderch a'i llu o edmygwyr o'r gangen leol o Sefydliad y Merched wedi gadael eu cynnyrch ar drugaredd y beirniaid er mwyn cael bod yno'n dystion i'r llwyddiant oedd yn amlwg ar fin dod i ran ei merch fenga. Roedd Mrs Prydderch eisoes wedi dod yn fuddugol ar y ceulad lemwn a'r catwad rhiwbob a sinsir, ond roeddan nhw rŵan yn glustia i gyd ym mhabell yr anifeiliaid anwes a phawb yn ceisio dyfalu beth yn enw'r greadigaeth oedd y mochyn rhyfeddol yma'n mynd i neud.

Ci yn sefyll ar ddwy goes ddaeth ymlaen yn gyntaf ac yna bwji oedd yn deud 'Helô' yn ddigon aneglur. Er ei fod o wedi trio yngan rhyw lun o air, doedd y mymryn sŵn a wnaeth o'n ddim i'w gymharu â'r hyn yr oedd Morgan ar fin ei berfformio. Dilynwyd y bwji gan barot tra aneglur, dau gi defaid, ac un ci rhech mewn dillad bale, i gyd fwy neu lai'n gwneud yn union yr un fath ag y gnaethon nhw y llynedd a'r flwyddyn cyn hynny. Mor ailadroddllyd oedd y cyfan wedi bod. Dyna pam roedd y dorf wedi edwino o flwyddyn i flwyddyn, ac roedd y pwyllgor wedi ystyried diddymu'r gystadleuaeth o'r rhestr testunau y flwyddyn nesa os na ddeuai yna waed newydd i roi gwynt yn ôl i'w hwyliau. Ond er mor sobor oedd y cyfan hyd yma, phylodd hyn ddim ar amynedd disgwylgar y gynulleidfa. Roeddan nhw'n dal ar flaenau eu seddau yn aros am y wyrth a oedd ar fin digwydd. Roedd Mr Prydderch wedi rhag-drefnu hefo Meistr y Ddefod y byddai'n ddoeth o beth i gael Morgan i berfformio yn olaf, gan y byddai'n amhosibl i unrhyw un ddilyn yr hyn yr oedd o'n mynd i'w wneud, a doedd hwnnw ddim yn mynd i ddadlau hefo Mr Prydderch wrth gwrs. Daeth ymlaen i'r meicroffon ac roedd o'n amlwg yn mwynhau'r distawrwydd a gâi. Doedd Meistr unrhyw ddefod yn hanes y sioe erioed wedi cael gwrandawiad mor eiddgar ac mor astud â hyn. Cyhoeddodd enw Mali Prydderch a Morgan a gofyn iddyn nhw ddod ymlaen i'r llwyfan. Aeth rhyw don o fân siarad ar hyd y babell ac fel y daeth y ddau ymlaen i'r llwyfan cafwyd bonllef o gymeradwyaeth fyddarol, yna distawrwydd llethol, disgwylgar. Cyhoeddodd Mali'n hyderus,

'Mae Morgan a finna'n mynd i adrodd ichi,' medda hi. Cymeradwyaeth frwd arall.

'Rydan ni am adrodd hanes y tri mochyn bach.'

Chwarddodd pawb mewn gwerthfawrogiad o'u dewis o destun clyfar, yna cychwynnodd y merched oedd hefo Mrs Prydderch hyshian a deud wrth y plant bach oedd yn y seddi blaen am eistedd yn llonydd a rhoi perffaith chware teg i Mali a Morgan. Cliriodd Mali ei gwddw ac arhosodd i Morgan ddeud y teitl 'Y tri mochyn bach'. Ond ddaeth dim ebwch, medda Nel. Mi agorodd Mrs Prydderch ei llygaid yn fawr fel pe bai hi'n trio annog Morgan i gychwyn. Nodiodd ei phen arno fel y gwna mamau gor-frwdfrydig pan nad yw eu plant am berfformio. Ond ddaeth yr un sill o'i ben bach dryslyd o, dim un gwich, dim smic.

''Dan ni'm yn clŵad, Mali!' medda rhyw hen wàg o'r cefn. 'Ella'i fod o isio meic!'

Teimlodd Mrs Prydderch y chwys yn rhedeg o'i cheseiliau a cheisiodd ddychmygu beth fyddai ei hesgus yn nes ymlaen ym mhabell y chwiorydd dros banad a sgonsan. Ond doedd ei chywilydd yn ddim i'r hyn a deimlai Mali ar yr eiliad honno pan sylweddolodd nad oedd Morgan yn mynd i yngan yr un gair. Clywodd rai o'r plant fenga'n sibrwd ac yn chwerthin yn y rhes flaen, ac yna gwelodd Llinor yn hanner gwenu yng nghanol y dorf. Clywodd ei gwefusau'n dechrau crynu heb iddi fedru rheoli dim arnyn nhw a theimlodd yn wirion.

Cronnodd y dagrau yn ei llygaid a chlywodd lais ei thad yn deud yn reit addfwyn o'r cefn, 'Ty'd o'na, Mali bach. 'Dio'm am ddeud dim byd heddiw ma' raid.' Rhedodd Mali i gefn y babell ac aeth Mrs Prydderch ati'n syth i'w chysuro. Doedd yr anifeiliaid ddim wedi clywed na gweld dim mwy na hynny, a chan na ddudodd Morgan air am y peth na chynt nac wedyn mae'n rhaid imi fodloni ar yr hyn dwi wedi'i glywed mae arna i ofn. Tybiais na chafodd ail gynnig arni a bod Trygar wedi'i luchio i gefn ei gar cyn gwneud ei ffordd am adref. Testun cywilydd fyddai ei bresenoldeb wedi bod yno am weddill y sioe, ac felly fe'i dinoethwyd o'i lifrai a'i ddanfon adref yn gwbwl ddiseremoni.

Roedd yr ieir ym mhiga'i gilydd am weddill y dydd a phan ddaeth y moch yn eu holau i'r twlc roedd Morgan wedi mynd.

'Be ddigwyddodd?' holodd Machraeth, y fenga.

'Ddudodd o ddim gair o'i ben,' atebish inna.

'Welodd o synnwyr yn diwadd ta,' medda Maldwyn.

'Hen bryd,' medda Cynllath, yn syth. Porthi fydda Cynllath y mab canol bob amser. Byth yn deud dim o dragwyddol bwys, mond cytuno a dilyn. Gytunith hefo'r sawl sy'n dadla *a'*r sawl sy'n anghytuno weithia. Porthi'r naill yn syth ar ôl y llall. Tydach chi byth yn gwbod lle 'dach chi'n sefyll hefo Cynllath. Ond roeddan nhwtha wedi cael mymryn o newyddion o'r sioe hefyd. Newyddion nad oedd wedi cyrraedd y pen yma i'r buarth tan rŵan. Aeth rhyw ias i lawr fy meingefn pan ddudon nhw wrtha i. Rhagdybio'r hyn oedd i ddod yr oeddwn i falla, dwn 'im. Roedd Mr Prydderch wedi prynu mochyn, ac am roi un cynnig arall arni hefo'i foch yn y sioe y flwyddyn nesa. Os nad oedd o'n llwyddo y tro yma roedd am roi'r ffidil yn y to a throi'r twlc yn storfa. Doedd o ddim yn licio methu, Mr Prydderch; doedd methu ddim yn rhan o'i eirfa fo, fel rydach chi wedi casglu erbyn hyn mae'n siŵr. Dyna pam roedd Rhydlasau'n destun y ffasiwn edmygedd a chenfigen yn y gymdogaeth ers cenedlaethau bellach. Roedd teulu'r Prydderchiaid yn dalld 'u ffarmio. Ond pam oedd fy meibion yn siarad hefo mi mwya sydyn? Doedd bosib mod i wedi cael maddeuant am fy nghamweddau dros nos.

'Lle mae o wedi mynd ta?' gofynnodd Machraeth.

Methu byw yn 'u crwyn yr oeddan nhw wrth gwrs. Roedd pob un yn awchu am gael gwybod be oedd wedi digwydd. Roeddan nhw wedi gweld Nel yn deud yr hanas wrtha i a bron â thorri'u bolia isio gwbod pob manylyn.

'Mi a'th am dro, ddudodd o ddim i le.'

'Cha'th o'm gwobr felly?'

'Naddo, Cynllath, chafodd o ddim.'

Mi wyddwn eu bod yn ll'gadu ei gilydd ac yn cilwenu tu cefn i mi ond roeddan nhw'n methu credu fod Morgan wedi penderfynu aros yn fud.

'Dim un gair?' holodd Maldwyn.

'Naddo, Maldwyn. 'Run gair cofia,' meddwn inna.

'Pam?' holodd Machraeth.

'Ia pam?' holodd y gweddill, fel defaid.

'Fi *ofynnodd* iddo fo beidio.'

Tawedog iawn buon nhw wedyn a chrwydron nhw ddim yn bell o gyffinia'r twlc chwaith. Roedd yr heulad yn rhyw fygwth cychwyn uwch ein penna ac roedd 'na dipyn o ias ynddi erbyn hyn a mymryn o sŵn gwynt yn y canghennau.

Rhedodd Brengain o'r tŷ a brasgamu wedyn i lawr y lôn drol. Doedd hi'n amlwg ddim yn mynd i aros i'r dathlu mawr yn nes ymlaen. Fel arfer byddai yno tan oriau mân y bore yn mwynhau pob eiliad o'r miri ddiwedd sioe. Ond nid heddiw. Nid tro 'ma. Nid i Brengain.

Yn ei brys i gyrraedd adref roedd wedi gadael y drws cefn yn gilagored ac roedd arogleuon y gegin yn hongian yn yr awyr lonydd. Doedd Sam ddim yn hir cyn ffroeni cinio hir-ddisgwyliedig ac roedd yn llowcio'r cacennau pan oedd yr haul a'r lloer yn bygwth cusan brin uwch ein pennau. Doedd o ddim yn fodlon ar hynny chwaith. Ci bach ifanc oedd Sam, ac roedd heddiw wedi bod yn ddiwrnod da. Roedd yn seren y sioe, cannwyll llygaid ei feistr, a rŵan roedd ganddo'r gegin iddo'i hun, ac fe'i rhwygodd yn rhacs gyrbibion.

★ ★ ★

Roedd buarth Rhydlasau'n dawel, dawel y bore hwnnw pan gerddodd Morgan ar ei draws am y tro olaf. Llusgodd ei garnau a mynd yn araf am y winllan a fedrwn i ddweud na gwneud dim i'w rwystro. Roeddwn wedi fy fferru yn fy unfan gan ofn. Gwyddwn yn well na neb beth fyddai'r gosb pe câi ei ddal, ond roedd fy ngwich wedi rhewi yn fy llwnc. Allwn i ddim symud yr un gewyn. Doedd Morgan ddim wedi bwyta dim ers yn gynnar y bore chwaith, ac roedd y winllan yn ei ddenu. Prin iawn oedd y ffrwyth ynddi ym mis Gorffennaf, ond roedd yna 'chydig o afalau heb lawn aeddfedu wedi syrthio o'r canghennau ac roedd hynny'n well na dim.

Roedd y lleuad newydd gyrraedd uchafbwynt ei siwrnai dros wyneb yr haul a daeth cysgod sydyn dros bob man, fel tasa rhywun wedi diffodd y gola. Dyna pam yr aeth hi mor dawel am wn i. Roedd y tywyllwch wedi distewi'r anifeiliaid i gyd. I gyd ond Morgan. Roedd Morgan yn snwyro yn y winllan a minnau heb allu gwneud dim gan ofn.

Ond roedd 'na ddau arall nad oedd wedi'u distewi a'u drysu gan ddiffyg yr haul hefyd. Nel a Sam. Roedd y ddau yn awr yn ei wylio fel cudyll. Erbyn hyn roedd Nel wedi gweld y dinistr yn y gegin ac yn meddwl am unrhyw ffordd o fewn ei gallu i achub ei mab rhag cosb. Anadlai'r ddau yn gyflym a thyfn a'u tafodau allan yn ceisio dyfalu pryd fyddai orau i gyfarth ac i rybuddio Trygar fod mochyn yn y winllan, a'i fod o hefyd wedi dinistrio'r gegin.

Doedd yna fawr o flas ar yr afalau cynnar ac roedd y dincod ar ei ddannedd yn ddiflas tu hwnt. Doedd Morgan erioed o'r blaen wedi gorfod tyrchu am ei ginio fel hyn. Roedd popeth wedi bod ar blât iddo cyn heddiw, yn llythrennol, a bron yn ddi-ffael. Roedd tendiad i'w anghenion ei hun wedi mynd yn beth diarth iawn iddo. Methai ddalld beth oedd wedi cynhyrfu'r cŵn a pham yr oedd Trygar rŵan, rhwng cwsg ag effro, yn rhedeg i lawr y grisiau o'r daflod tuag ato a golwg y cythraul yn ei lygaid. Pwy ddiawl feiddiai darfu ar ei gyntun? Pwy uffar oedd yn y winllan?

Tydwi ddim am ddisgrifio'r artaith a ddioddefodd Morgan dan law y cena milain. Dwi ddim digon 'tebol bellach i ail-fyw y ffasiwn ffieidd-dra. Y cyfan dduda i ydi na ddioddefodd hyd yn oed Ponty druan gosb fel hon. Roedd cynllwyn y cŵn wedi gweithio a Trygar wedi llyncu'r abwyd hyd yr eithaf. Neu tybad oedd ynta'n gwybod yn iawn beth oedd wedi digwydd, ac yn rhan o'u cynllwyn, dyn yn unig a ŵyr. Roedd gwichian fy Morgan bach yn hollti'r awyr a rhedodd ei frodyr allan o'r twlc i weld beth oedd y sdyrbans.

Yna daeth yr haul yn ei ôl o'r pen arall i'r lloer a gwenu arnom eto, fel pe na bai dim byd wedi digwydd o gwbwl. Taflwyd Morgan i'r llaethdy a'i gloi yno heb neb i'w ymgeleddu. Clywais sŵn un o'r ceir yn dychwelyd o'r sioe. Roedd Mrs Prydderch wedi dod yn ei hôl i addurno'i chacennau.

Mi fydda'n iawn i ddisgrifio Mrs Prydderch fel dynes capel selog ac un o'r chwiorydd mwyaf diwyd yn Salem, ond roedd yr awyr yn lasach a'r tafod yn amhurach nag a glywyd hyd yn oed pan ddarganfu Trygar yr alanas. Doedd hi ddim yn hir cyn y goleuodd Trygar hi ynglŷn â phwy oedd wrth wraidd yr holl helynt. Roedd enw Morgan yn faw erbyn amser cinio. Pwy fyddai wedi rhag-weld y byddai ei gwymp mor ddisymwth? Mor rhwydd ydi syrthio. Mor hawdd y cwympa'r cedyrn.

15

Rydan ni'n dal i aros gyda llaw. Rydan ni wedi colli'n gafael ar amser erbyn hyn ac mae rhai o'r moch yn hepian cysgu hyd yn oed. Anodd credu y gallwch chi syrthio i gysgu a chithau'n aros i fynd i'ch angau. Mae'n hwyr glas gen i ei weld yn dod bellach – yr angau. Mi fyddwn *i* wedi cysgu hefyd oni bai am y bywyd bach newydd yma sy'n cicio a gwingo y tu mewn i mi. Mor gynhyrfus y gallai hyn i gyd fod. Magu tylwyth arall o foch bach a theimlo'r cariad afresymol yma'n llifo fel llaeth o'ch bron yn eich mynwes. Ond does yr un gynneddf yndda i a allai ddeffro yr awydd i ailgychwyn magu 'run porchell byth eto. Roedd siwrnai bywyd wedi bod yn llawer rhy droellog a thwyllodrus, ac mor ofnadwy o dywyll. Fyddwn i ddim am aildramwyo 'run fodfedd ohoni. Roedd yna ryw lun o ryddhad yn aros am yr angau. Ond roedd clywed y bywyd bach yn troi a throsi o'm mewn yn chwarae mig â fy ymysgaroedd weithia. Dim ond weithia. Falla bydda petha wedi medru bod yn well y tro yma. Fedrwn i byth ddeud bellach.

★ ★ ★

Noson y sioe daeth Mr Prydderch â horwth o fochyn mawr trwsgwl yn ei ôl hefo fo i Rydlasau. Vegas. Roedd yn drwsgwl ei gerddediad, yn drwsgwl ei edrychiad, ac yn drwsgwl ei garu. Y noson gynta honno mi cymrodd fi, heb air o gyfarchiad na'r un edrychiad cariadus rhyngom. Roedd yn frwnt, yn ddideimlad ac yn gyflym. Doedd ganddo mond un diben pan gerddodd i mewn i'r twlc. Fe gyflawnodd y diben hwnnw ac yna fe fu'n rhochian cysgu am weddill y noson, a minnau yno'n gorwedd yn gwrando ar fy mab yn llefain yn y llaethdy. Roedd 'na hen lefain ar y buarth hefyd. Roedd Caron wedi torri ei wddw yn y cylch neidio. Ar y naid ola roedd Llinor wedi colli ei hyder yn llwyr a cholli gafael ar y ffrwyn. Roedd Caron wedi gorfod neidio'n syth wedi i'r heulad glirio a doedd o ddim yn llawn barod am y dasg. Mae'r heulad yn cael effaith ryfedd ar rai anifeiliaid ac roedd Caron yn eitha cysglyd pan ddringodd Llinor ar ei gefn a chyrchu'r cylch neidio. Collodd honno ei hysbryd pan oedd hanner ffordd o gwmpas y cwrs. Roeddan nhw eisoes wedi taro pedair o'r clwydi a gwyddai fod Trygar yn iawn yn ei gyngor fod merch hyna Rhydlasau'n llawer rhy ifanc i gystadlu yn yr oedran agored eleni. Roedd y clwydi'n llawer rhy uchel i un mor ddibrofiad eu mentro. Roedd hi wedi pwdu ymhell cyn diwedd y daith a dyna pam, wrth gwrs, y methodd ar y naid olaf. Roedd hi'n arwain yn flêr erbyn hynny a Caron druan yn teimlo'r rheolaeth yn simsanu. Cychwynnodd ei naid yn llawer rhy gynnar a syrthiodd y ddau'n bendramwnwgl i'r ddaear. Rhedodd y stiwardiaid ar eu hunion i wneud yn siŵr fod Llinor yn iawn. Roedd eu gofal ohoni'n fawr a galwyd Mrs Prydderch yno o'r babell fwyd ar unwaith. Bu Caron yn gwingo am dipyn ar y llawr, ac yna, pan sylweddolwyd fod ei wddw wedi'i dorri daeth un o'r stiwardiaid yno a'i saethu yn ei dalcen yn y fan a'r lle. Llusgwyd ei gorff urddasol gan dractor o'r cylch chwarae ac o ŵydd y gynulleidfa. Fe sicrhawyd y dyrfa dros yr uchelseinydd fod merch Rhydlasau'n iawn ac nad oedd hi wedi cael unrhyw anaf. Aeth y dorf yn ei blaen i fwynhau yr hyn oedd yn weddill o'r sioe.

Y defaid ddaeth yn ôl hefo hanes y saethu. Rhai gonest iawn oedd y praidd ar y cyfan, a chaech chi ddim llawer o liw ar unrhyw stori. Ond erbyn i'r ieir gael gafael arni roedd acw ddrama fawr iawn erbyn diwedd y dydd. Roedd Morgan yn dal yn ei garchar yn y llaethdy a gwelwn olau yn stafell Mali. Doedd hi na Llinor ddim wedi ymuno yn y dathliadau eleni, er cystal hwyl a gafwyd ar weddill y cystadlu. Tybiwn weld Mali'n gorwedd ar ei gwely plu yn wylo'n ddistaw a'r wasgod fach goch yn dal yn ei llaw. Roedd Morgan wedi ei gwneud yn destun gwawd yn y sioe, a fydda 'na ddim maddeuant i'w gael. A ddaeth yna ddim chwaith, neu fe fyddai hi wedi bod yno'n trio rhyddhau fy mab o'i gaethfan a'i achub o'r gosb eithaf oedd yn ei aros fore trannoeth.

Doedd gweddill gweithwyr Rhydlasau ddim wedi dathlu dan yr hen drefn chwaith. Er fod y defaid a'r gwartheg wedi dod i'r brig ym mhob adran bron, a Mrs Prydderch, er gwaetha'r drychineb hefo'r cacennau, wedi ennill y tlws am y cynnyrch cartref o'r safon uchaf yn y sioe, doedd yr un hwyliau ddim yno eleni rwsud. Roedd Llinor wedi cael addewid am geffyl newydd ac roedd Mali wedi ennill y gystadleuaeth gwisg ffansi yn y pnawn, ac roedd hynny wedi lliniaru dipyn ar y cywilydd a'r briw o golli. Roedd Mali wedi rhoi rhubanau gleision am wddf un o'r mamogiaid a chyda ffon fugail rosynnog ac mewn ffrog morwyn briodas binc a boned gwellt daeth i'r brig yn ei hoedran mewn 'cystadleuaeth o safon uchel iawn'. Roedd hi'n edrych yn bictiwr fel Little Bo Peep, a doedd dim amheuaeth gan y beirniaid mai merch fenga Rhydlasau oedd yn llawn deilyngu'r wobr gyntaf. Byddai ei stafell yn rhubanau ac yn dystysgrifau wedi'r cwbwl. Ac i daenu rhagor o falm dros y briwiau roedd Llinor hithau wedi cael ei choroni'n frenhines y sioe am eleni ac roedd camerâu'r papur lleol wedi sicrhau y byddai lluniau o deulu Rhydlasau'n britho'r tudalennau fore Llun. Gallai trigolion y fferm fach hon godi eu pennau'n uchel eto eleni wedi'r cwbwl. Caent ddathlu dan yr hen drefn fory heb os, pan fyddai siomedigaethau'r bore wedi hen fynd yn angof. Mor sobor o sydyn y pyla'ch atgofion. Mae hynny'n beth da weithiau, wrth gwrs. Ond mae cof ambell anifail yn llawer hirach nag y tybiwch. Cofiwch hynny, newch chi?

16

Y bore wedi'r sioe roedd popeth yn ôl yn union fel yr oeddan nhw cynt ar y buarth. Roedd Mr Prydderch allan hefo'r wawr yn tendio'i braidd liw dydd a'r gwartheg yn dod yn reddfol, ddefodol i'w godro. Canodd y ceiliog ei gân aflafar ac fe siaradodd yr ieir bymthag y dwsin fel bob diwrnod arall. Daeth Mrs Prydderch i lenwi'r cafn yn ôl ei harfer, er mae'n rhaid cyfaddef fod y cibau fymryn blasusach fore wedi'r sioe bob amser. Hyd yn oed wedi'r gorfwyta, ac wedi'r goryfed, roedd 'na wastad weddillion go ddifyr fore wedi'r sioe. Mor wastraffus yw dyn.

Bob tro bydda hi'n achos dathlu roedd y patrwm yn newid ryw fymryn. Roedd yn rhaid aros ronyn yn hirach am eich tamaid gan fod yna gymaint o ryw fân orchwylion eraill i'w cyflawni hyd y lle, ond pan ddeuai, roedd bwcedeidiau ohono, ac roedd yn fwy maethlon o beth mwdril. Ond chefais *i ddim* blas ar fy mwyd y bore du hwnnw.

Yn ôl eu harfer roedd Mr a Mrs Prydderch wedi gwâdd rhai o'r cymdogion, ac ambell ben pwysigyn o'r plwy, i swper nos Sul wedi'r sioe. Erbyn hynny roedd Mali wedi hen anghofio am ei siom a phawb bellach wedi troi eu sylw at ba mor wych yr oedd hi'n edrych yn ei gwisg ffansi ar y llwyfan ddoe. Pawb yn canmol i'r entrychion, ac wedi hen anghofio am y siom a ddaeth i'w rhan ben bore. Roedd ambell un, gan gynnwys Mrs Prydderch, wedi rhoi rhyw ochenaid fach o ryddhad eisoes na ddeuai mochyn ar gyfyl y tŷ byth eto, ac roedd rhubanau ei buddugoliaeth eisoes yn addurno'i stafell wely glyd.

Roedd Morgan yn dal dan glo, a phan ddudodd Mr Prydderch wrth Trygar am ddewis y cig gorau i'w rostio ar gyfer y gwledda, buan iawn y gwelwyd y gwas yn brasgamu am y llaethdy. Gwyddai y byddai'r mochyn bach a gafodd y ffasiwn faldod a maeth dros y misoedd dwytha'n cynhyrchu golwythau digon tyner i doddi yn eich ceg, cystal os nad gwell na chig y llo pasgedig ei hun. Roedd dŵr eisoes yn dod i'w ddannedd gan fod Mrs Prydderch yn gallu gwneud gwyrthiau hefo cig mochyn. Rhoddai haenen drwchus o siwgwr brown a marmalêd yn dew ar y grawen a'i rostio'n araf fel na chollai ormod ar ei sudd naturiol a'i saim. Yna codi'r ffwrn yn eitha uchel tua'r diwedd i grimpio dipyn ar y grawen. Roedd Trygar yn licio'i grawen.

Roedd y llaethdy'n foddfa o waed mewn eiliadau. A'r afon gochddu a ddisgrifiais yn fy stori i Morgan y noson cynt bellach yn llifo'n wirionedd creulon o flaen fy llygaid. Rhaid gwaedu mochyn yn dda. Rhaid iddo lifo allan o'r corff yn gyflym neu mae'r cyfan yn ceulo a'r cig yn difetha. A thâl peth felly ddim. Ddim pan mae angen dathlu. Felly fe'i gadawyd o yno i hongian. Roedd o â'i ben i waered a'i ddwy goes ôl wedi eu clymu'n sownd i'w fachu. Edrychai mor hurt, mor... noeth. Trochodd yr ieir eu traed yn yr afon goch gan gymaint eu gorawydd i weld beth oedd wedi digwydd, ac ôl eu traed yn groesau bach cochion hyd y buarth ymhobman.

'Mae o'n dŵad inni i gyd yn diwadd 'chi,' meddan nhw wrtha i fel tiwn gron. Fel tasa hynny o unrhyw gysur imi.

'Fel 'na byddwn ninna i gyd ryw ddwrnod.'

'Mi ddaw'n tro ninna, 'chi genod... cyn inni droi.'

Mor llonydd oedd ei gorpws bach erbyn hynny, a'r glafoer coch oedd heb ddiferu i'r afon yn ceulo'n bibonwy du o gwmpas ei drwyn a'i geg, a rhyw 'chydig bryfetach yno'n meddwi ar yr arogl melys a ddeuai ohono. Mae aroglau gwaed yn denu'r creaduriaid rhyfedda tuag ato.

★ ★ ★

Roedd 'na ddathlu dan yr hen drefn y noson honno ar fferm Rhydlasau. Roedd Brengain wedi ffonio i ddeud nad oedd hi'm yn dda, ond roedd Mrs Prydderch wedi deud wrthi am beidio poeni; roedd 'na fwy na digon o gwmpas i estyn llaw a helpu. Biti nad oedd hi'm yno i'r dathlu, ond dyna fo, medda hi wedyn, ma'r hen betha 'ma'n digwydd weithia tydyn? Toes mo'r help. Welais i ddim o Brengain wedi'r alwad ffôn honno. Ddaeth hi ddim ar gyfyl y fferm wedyn. Roedd rhai'n deud ei bod wedi cael lle arall, lle gwell, lle oedd yn talu mwy. Lleill yn deud mai wedi mynd i ffwrdd yr oedd hi, i rywle ymhell o gartre. Pwy a ŵyr?

I dŷ ei ffrind roedd Mali wedi mynd. Cafodd Mrs Prydderch fymryn o sioc ar y dechrau pan sylweddolodd mai Morgan fyddai llosg-aberth y loddest. Nid nad oedd hi wedi ama ers sbel y bydda 'na gnwd tyner o gig ar esgyrn y creadur yma oedd wedi dechrau meddiannu ei haelwyd. Ond penderfynodd mai doethach fyddai deud wrth Mali mai wedi ei werthu yr oedd Morgan. Ni fyddai ei ddiflaniad disymwth wedyn yn pwyso gymaint ar ei chydwybod bach hi. Chwarae teg i Mrs Prydderch am fod mor sensitif i deimladau ei merch. Mor gryf yw cariad mam.

Tu allan yn yr ardd yr oeddan nhw'n cynnal y miri min nos a llwybr o fwg yn troelli'n igam-ogam o'r barbaciw fel o simdde amlosgfa. Rhostiodd Mrs Prydderch y tameidiau gorau yn y popty, halltu peth ohono, ac yna troelli gweddill y carcas uwch y fflamau yn yr ardd, lle bu Morgan gynt yn chwara bod yn ddyn. Trygar oedd yn troelli, ac yn pigo fel fwltur ar ambell grawen losg a Sam a Nel yn glòs wrth ei ben-glin yn aros am eu tamaid hwythau. Peth fel hyn oedd nefoedd i Trygar.

Bob blwyddyn byddai Mr Prydderch wedi prynu tân gwyllt i'r achlysur ac roedd pawb drwy'r ardal felly'n gallu gweld rhyw gnegwath o'u dathliadau. Tir eitha gwastad oedd i'r fro fwy neu lai, ac felly gellid gweld y gwreichion am filltiroedd ar noson glir fel honno, fel bod pawb yn dalld mai hon oedd y fferm hefo'r achos mwyaf i ddathlu yn y gymdogaeth drannoeth y sioe. A chyda phob tanchwa liwgar oedd yn cloi arlwy'r rocedi drudfawr deuai rhyw 'Wwwwww!' o werthfawrogiad yn gyfeiliant i'r clecian. Yna, fe drodd yr 'Wwww!' yn 'Aaaaah' pan ddaeth Mrs Prydderch â phlât arian allan drwy ddrws y gegin, ac arno roedd pen Morgan wedi'i addurno â chnau a cheirios yn goron o amgylch ei ben. Chwarddodd pawb ar ei hymdrech glyfar. Aeth Trygar yntau am y bowlen ffrwythau a rhoi afal melyn yn ei geg a dyblodd y chwerthin.

'Ddysgith hynna chdi pwy 'di'r mistar ar y winllan!'

Does dim angen imi ddeud wrthach chi pwy ynganodd y geiriau.

Cymeradwyodd y dyrfa'n frwd. Y ffasiwn ffraethineb! Dychwelais i'r twlc ac wylo fel babi blwydd.

Erbyn y tân gwyllt roedd Nel a Sam wedi cael eu cloi i mewn yn saff, wrth gwrs. Mae cŵn yn casáu tân gwyllt. Does dim sy'n eu diflasu'n fwy na chlecian a sgrechian a thân. Dim ond rhyw fymryn o grawen oedd eu gwobr am heno. Ond bore fory, roeddan nhwtha hefyd yn mynd i fod yn dathlu fel na ddathlon nhw erioed o'r blaen.

17

Ycŵn gafodd y cynnig cyntaf ar weddillion Morgan i'w crafu'n lân. Bu'r ddau ohonyn nhw'n tynnu'n ffyrnig ar ambell asen ac yn ymladd hyd at waed am yr un oedd a mymryn mwy o gig arni na'r gweddill. Wedyn y brain a'r piod yn cipio be fedren nhw i fyny i'r coed. Yna'r chwilod a'r pryfed yn gwledda ar y gïau a'r gwaed fel nad oedd ond esgyrn sychion yn weddill ohono.

Ond y pen oedd y goron ar eu dathliadau hwythau. Mi gafon nhw ddiwrnod i'r brenin hefo hwnnw. Doedd neb o'r gwesteion wedi cyffwrdd â'r pen, wrth gwrs. Addurn y wledd oedd peth felly iddyn nhw, yn arwydd o'u goruchafiaeth dros yr anifail, fel y bydd heliwr yn hongian pen ambell garw go nobl uwchben ei ddrws. Ond unwaith y cyflwynwyd hwnnw yng nghanol y cibau aeth hi'n draed moch yma wedyn. Ymaflyd a malurio, chwarae a chwerwi, rhwygo a darnio, a'r pen yn cael ei dowlu a'i rowlio fel pêl hyd y buarth. Bu pen y bradwr yn destun miri a gwawd am ddyrnodiau.

Mi ellwch fentro fod yr ieir wedi cael modd i fyw. Yno bob dydd yn gwylio'r miri ac yn siarad bymthag y dwsin am yr ornest pan fydda'r cŵn yn rhoi'r gorau iddi am sbel. Roeddan nhw wedi hen anghofio am safiad Morgan yn y sioe ac roedd gwylio'r cŵn yn eu hadlonni eu hunain fel hyn yn eu cynhyrfu'n lân fel nad oedd dim byd bellach yn bwysig ond y gêm. Mor hawdd ydi cael sylw'r ieir. Mor syml ydi'u hangen nhw. Mi fedyddion nhw'r chwarae'n 'Brwydr y Bradwr', a dyna oeddan nhw'n 'i ddeud wedyn bob tro bydda'r cŵn yn ymladd am damaid o asgwrn.

'O sbïwch!' fyddan nhw'n 'i ddeud. 'Ma' nhw'n chwara Brwydr y Bradwr!'

A wedyn mi fydda 'na hen chwerthin ac ail-ddeud hyd at syrffed, nes bydda'r ornest nesa'n cychwyn.

'Dowch! Dowch! Dowch i weld Nel a Sam yn chwara Brwydr y Bradwr!'

Tydi anifeiliaid 'rioed wedi claddu eu hanwyliaid fel chi ddynion. Roed inni ddim o'r gallu na'r crebwyll i neud hynny fel chi. Ond unwaith y pylodd y miri, ac y diflasodd y cŵn ar y chwarae, unwaith y gollyngodd y ddau gena dideimlad eu gafael ar y pen, mi es i â'r hyn oedd yn weddill at lan yr afon yng ngwaelod y cwm. Mae'n weddol agos i'r môr yn y fan honno ac mae'r pridd yn feddal ac yn dywodlyd. Mi dyrchais yno am oria nes yr oedd gen i ddigon o ddyfnder i ollwng ei benglog bach o i'r weryd a'i gladdu o olwg pawb.

Mi dreuliais i oriau yno wedyn, yn myfyrio, ac yn trio deall dyn. Ei natur o, ei angen o. Ond allwn i neud na phen na chynffon o'm myfyrdodau ar lan yr afon. Ond *mi* gefais i dawelwch yno. Mae'r afon yn oedi'n ddioglyd braf ar waelod y cwm lle mae'r bedd. Yno mae'r afon ar ei dyfnaf. Fydda i'n licio dyfroedd dyfnion, gwyrdd. Does yna *ddim* tawelwch i'w gymharu â thawelwch y dylif. Dyna lle mae'r pysgod ar eu brasaf, dyna lle mae'r afon ar ei llonyddaf. Ac yn y tawelwch hwnnw mi ddois i i weld nad *oes* yna ddim deall ar ddyn. Hyd yn oed tasa Morgan wedi siarad, hyd yn oed tasa fo wedi gallu deud wrtho yn ei wyneb pa mor dreisgar ydio, fyddan ni ddim wedi bod dim mymryn nes i'r lan. Mae lladd yno yn ei esgyrn o, mae hi'n gynneddf na allwn ni byth mo'i dileu.

18

Meddwl am yr hen afon honno yr ydw i rŵan a bod yn onasd hefo chi, i drio dianc o'r uffern yma sy'n cau amdana i. Creu nefoedd fach yn fy meddwl fel bod y dychymyg o leia'n magu adenydd. Mae'n dda fod ganddon ni i gyd y ddawn i ddianc yn y meddwl. Dyna'r unig ffordd yr oeddwn i'n gallu syrthio i gysgu ar ôl iddyn nhw ladd Morgan. Dianc yn fy atgofion at lan yr afon honno wrth droed y cwm a theimlo'i symudiad araf, trwm, yn gwybod yn ddigwestiwn ym mhle mae pen ei thaith. Liciwn i tawn i mor siŵr o'm tynged. Mi fydda'n gysur meddwl *fod* yna ryw annwfn i'm cofleidio inna wedi'r drin. Mi fydda'n braf meddwl *fod* yna frenhines a'i thri chant o berchyll yno i'm croesawu i ryw 'deyrnas diniweidrwydd' lle mae'r 'llew yn llyfu'r oen', heb yr un plentyn bach a'i natur dreisgar yn llechu yn unman.

Maen nhw wedi dechra saethu'r defaid rŵan. Mae'r peiriant lladd yn amlwg wedi chwythu'i blwc ac mae'r gwn wedi gwneud ei ymddangosiad. Lle byddach chi ddynion heb wn, dudwch i mi? Sut llwyddoch chi i ymdopi gystal cyn ei ddarganfod o, tybad? Rydan ni'n clywed ei sŵn yn tanio yn yr oruwch ystafell a'r cyrff yn cwympo fesul un i'r llawr. Mor gyflym mae'r cwbwl yn digwydd. Wedi'r hir aros, mae'r peiriant lladd wrth ei waith mor fecanyddol â pheiriant godro. Fydd hi ddim yn hir rŵan cyn y daw fy nhro inna.

Mond unwaith y gwelais i Mali'n iawn ar ôl i Morgan gael ei ladd. Mi gwelish i hi'n croesi'r buarth droeon, wrth gwrs, ac yn chwarae yn ei thŷ bach yng ngwaelod yr ardd hefo'i chathod. Mae ganddi dair ohonyn nhw erbyn hyn, Mabon, Modron a Sali. Sali yw'r ffefryn. Sali Mali. Cath fach wen digon o ryfeddod ac yn yfed maldod Mali drwy'r dydd. Blewyn hir sydd ganddi, yn wahanol i Mabon a Modron, ac mae hi'n gwybod mai hi yw'r ffefryn. Druan ohoni. Ond mi welais i Mali unwaith wrth y cafn yn gwagio'r cibau. Edrychais arni am sbel gan drio dal ei llygaid. Ond fentra hi ddim edrych arna i, dim ond rhyw gip sydyn rŵan ac yn y man. Mi wydda fod fy nhrem wedi ei hoelio arni a feiddiai hi ddim tremio'n ôl.

'Pam nad wyt ti'n sbio arna i, Mali?' gofynnais yn yr unig iaith y gallwn ei hyngan. Iaith y gwyddwn i o'r gorau ei bod hithau'n ei dalld yn iawn erbyn hyn.

Edrychodd hi am ennyd ac yna'n ôl at y cafn fel tasa hi'n gorfod rhoi ei holl sylw i wagio pwcedeidiau o grwyn ac o wastraff. Toedd hi ddim yn weithred mor anodd â hynny, Mali. Pam nad edrychaist ti arna i?

'Wyt ti'n dal i fy neall i, Mali?' mentrais ymhellach. Daeth rhyw wedd welw dros ei hwyneb a gallwn ddeud ei bod yn simsanu. Ond edrychodd hi ddim arnaf fi wedyn.

'Be sydd yn y bwyd, Mali? Wyt ti'n gwbod?'

Dim ateb. Dim un edrychiad hyd yn oed.

'Dwi'n 'i ama fo weithia cofia. Yr hyn sydd yno fo.'

Gwagiodd y bwced olaf a rhedeg am ei hoedal i gyfeiriad y tŷ. Rhoddodd un edrychiad arnaf o riniog y drws cefn cyn ei gau'n glep. Ddaeth hi ddim ar gyfyl y cafn wedi hynny.

Mae'r saethu wedi peidio am sbel. Dwi'n meddwl fod y gweithwyr wedi torri am ginio rŵan. Fe allai'r cyfan fod drosodd, ond tydio ddim.

19

Ond mae 'na dro yn y gynffon. Mwy nag un fel mae'n digwydd. Fydda 'na'm un stori am fochyn yn gyflawn heb dro yn ei chynffon, yn na fydda?

Rhaid ichi fod yn ofalus iawn wrth i chi drin cig mochyn. Er melysed ydi'r grawen, ac er tynered ydi'r cnawd, tydio ddim yn beth i chwara hefo fo. Os nad ydach chi'n ofalus mae o'n gallu troi'n wenwyn, yn sdwmp ar eich stumog chi go iawn. Cig mochyn ydi'r anoddaf i'w dreulio meddan nhw i mi. Ond does dim rhaid i mi ddeud hynny wrthach *chi* wrth gwrs; dysgu pader i berson fyddai peth felly, ynde?

Yn fuan iawn wedi cyflafan y winllan daeth cysgod arall dros fferm Rhydlasau, ymhell cyn i arwyddion y clwy dorri ar wefus yr un ohonom. Roedd y teulu wedi mynd i'r capel i gymanfa o ddiolchgarwch i ddiolch i Dduw am eu hymborth a'u bara beunyddiol. Maen nhw'n diolch iddo'n aml am eu bwyd. Doedd Trygar ddim yn Fethodist. Dim fod yna goblyn o ddim o'i le yn hynny wrth reswm pawb. Gall peidio bod yn Fethodist fod o fantais ichi weithia. Ond doedd Trygar yn goblyn o ddim byd arall chwaith. Doedd o ddim yn gweld, wir, pam dylia fo ddiolch i neb am ddim byd, na chanu amdano fo chwaith tasai'n dŵad i hynny. Roedd o'n gweithio'n ddigon caled am ei damaid, ac roedd chwys ei wyneb yn brawf o hynny i bawb a feiddiai ei gwestiynu pam y bwytâi ei fara beunyddiol heb ddiolch amdano. Yn wir, onid rhywun arall ddylia fod yn diolch iddo *fo* am *wneud* y gwaith?

Dyna pam yr oedd Trygar y bore hwnnw yn y tŷ yn chwilio am damaid o fwyd. Mae'r dyn ar ei gythlwng. Y nos Fercher wedi'r sioe oedd hi ac roedd y capel dan ei sang. Nid fod capel Salem yn gyson felly'r dyddia yma, wrth gwrs; prysur wagio oedd ei hanes tlawd ynta fel pob addoldy arall yn y gymdogaeth. Mae'r dyn yn dechra colli gafael ar ei Dduw mae'n rhaid. Ond roedd yna gwmni teledu wedi dod yno i recordio'r canu ar gyfer y diolchgarwch ac felly roedd ei seddi'n gyfforddus lawn i'r canu a'r canmol. Salem dan ei sang unwaith eto. A thra oedd y gynulleidfa'n canu eu diolchgarwch o'i hochr hi am gynhaeaf ffrwythlon a chypyrddau llawnion, roedd Trygar yn chwilio conglau'r gegin am rywbeth i foddio'i chwant. Daw dŵr i'w ddannedd pan wêl weddillion y porc a oedd heb ei orffen ers y nos Sul. Roedd wedi bod yn sefyll yno ers sbel, ond roedd gan Trygar stumog fel tarw, ac roedd y gweddillion yn edrych yn hynod o flasus. Roedd yno 'chydig o datws a grefi mewn desgil yn yr oergell hefyd, a phowlenaid o lysiau. Cymysgodd y cyfan ar blât a'u taro yn y popty.

Aros i hwnnw aildwymo hefo'i banad yr oedd o pan neidiodd Nel ar ei lin a dechra llyfu'i wefla. Roedd y dyn hwn a'i anifail yn hoff iawn o'r cusanu chwareus yma pan fydda neb arall yn edrych. Mae'r hyn mae dyn yn ymostwng iddo yn y dirgel yn bwnc llosg iawn ymhlith yr anifeiliaid. Yr hyn na tydio 'rioed wedi ei ddalld wrth gwrs ydi *fod* 'na ryw lun o anifail yn ei weld o ba gornel bynnag yr â i wneud ei weithredoedd duon. Falla mai dyna pam y mae o bob amser, pan mae'n diolch am yr anifeiliaid, yn diolch hefyd eu bod yn fud. Ond *tydan* ni ddim yn fud, *mae* ganddon ni iaith, a *neith* o ddim gwrando arni. Ond rydan *ni* wedi gwrando arno *fo* am ganrifoedd, ac yn gwybod *popeth* amdano. Popeth mae o'n ei wneud rownd ei gorneli cudd.

Roedd drws y gegin ar agor ac mi gwelwn i'r ddau'n dangos mwy o gariad at ei gilydd nag ydio'n weddus i'w adrodd rhwng cloria llyfr. Roeddan nhw'n rhannu'r un gwpan ac yn methu peidio dangos rhyw angerdd oedd yn afresymol o agos i fistar a'i gi.

Mi gwelodd fi'n syllu arnyn nhw ymhen y rhawg ond ddaru o ddim codi i gau'r drws. Anifail mud oeddwn i i Trygar, a fedar anifail mud ddim taenu straeon.

Dduda i ddim mwy na hynna. Peth peryg iawn ydi ail-adrodd stori, hyd yn oed pan ydach chi wedi bod yn llygad-dyst iddi eich hun. Mae dychymyg ac amser yn medru cymylu'ch ffeithia chi a fedrwch chi ddim bod yn or-ddibynnol ar eich tystiolaeth 'ych hun.

Pan gyrhaeddodd y teulu adra o'u hoedfa o fawl a chân roedd Trygar yn gwegian yn ei ddybla ar lawr y gegin a Nel wrth ei ochr yn udo'n wylofus ac yn llyfu'r chwys oddi ar ei dalcen. Roedd o wedi ymborthi ar damaid o gig oedd rŵan yn peri iddo fod yn ymladd am ei einioes. Welodd o mo'r wawr.

20

Mi rown y byd am allu hedfan. Mi freuddwydiodd Morgan unwaith *fod* hynny'n wir, fod moch *yn* gallu hedfan. Roedd o wedi clywed y teulu'n dweud yr hen ddihareb wirion yna am foch yn hedfan nes iddo ddechra'i chredu hi mae'n rhaid. Roedd gan Mali dri mochyn yn hedfan ar wal ei stafell wely hyd yn oed. Hwyaid tegan oedd ganddyn nhw yn yr hen ddyddia, wrth gwrs, ond fod ryw hen wàg o gynllunydd wedi cael y syniad o droi'r hwyaid yn foch. Yn y dyddiau cysurlon hynny yn stafell wely gynnes Mali, mae'n siŵr fod yr hen Morgan wedi mynd i gredu fod unrhyw beth yn bosibl. Dyna pam roedd ei gwymp o mor fawr. Mi syrthiodd 'rhen greadur yn glewt yn'do?

'Ma' siŵr fod ganddyn nhw adenydd yn Annwfn, 'sdi Mam.'

'Ti'n meddwl?' medda finna, yn dal i ryfeddu at ei ddychymyg hyd y diwedd.

'Ma' *pobol* yn ca'l adenydd ar ôl mynd i'r nefoedd, felly ma' siŵr cawn *ninna* rei'n Annwfn yn cawn?'

'Falla wir, Morgan bach, falla wir.'

Liciwn i gael pâr o adenydd rŵan, fel y gallwn i hedfan fel colomen o'r uffern yma rydan ni ynddi. Mae iaith y colomennod wedi marw erstalwm iawn, gyda llaw. Unwaith y sylweddolon nhw pa mor ddiamcan oedd eu cân o heddwch aeth y geiriau ar goll yn eu gyddfau. Dim ond cŵian maen nhw'n 'i neud erbyn hyn. Maen nhw'n gallu mynegi tristwch a galar a siom, ond fawr ddim arall. Mond galaru dros y byd a'i betha fedran nhw neud bellach.

Mae hyn yn gymaint o wastraff ar fywyd. Tydan ni ddim hyd yn oed yn mynd i'r lladdfa i'n gwerthu i unrhyw fwtsiwr yn y wlad. Welith ceubal yr un o'r dynionach 'ma 'run tamaid o'n cig ni. Tydan ni ddim yn fwytadwy hyd yn oed. Tydan ni'n da i ddim i neb.

Roedd Mr a Mrs Prydderch yn ypsét iawn pan gyhoeddwyd yn gyntaf fod y clwy ar eu fferm. Roedd 'na gamerâu teledu yno ym mhobman a Mr Prydderch yn gwneud cyfweliad ar ôl cyfweliad yn deud yn daer ei fod o a'i wraig yn amau'n wir a *oedd* y clwy ar ei anifeiliaid o gwbwl. Oeddan nhw'n hollol siŵr fod y fellten wedi taro ddwywaith mor drybeilig o agos i'w gilydd? Roedd ganddo fab oedd newydd basio i fod yn filfeddyg a doedd hwnnw chwaith ddim yn hollol argyhoeddiedig fod y clwy ar foch Rhydlasau. Bu dadlau am ddyddiau, ond mae llaw ei lywodraeth yn drymach nag y mae dyn yn ei feddwl ar adegau fel hyn.

O fewn dim roedd y fferm a fu'n gymaint o destun edmygedd ac eiddigedd yn yr ardal bellach yn hoelen arall yn hanes yr amaethwr a'i waith. Chwistrellwyd pob giât a phob cerbyd oedd yn cludo'r anifeiliaid o'r fferm. Maen nhw wedi penderfynu peidio'n llosgi'n rhesi o goelcerthi ar dir y ffermydd y tro hwn. Gadawodd hynny gymaint o graith ar gof y genedl y tro dwytha fe benderfynwyd didol pob diadell glwyfedig a chael gwared ohonom o olwg dyn. Tydyn nhw ddim chwaith yn siŵr ai'r un clwy yn union *ydio* y tro yma. Maen nhw'n amau pethau mawr, ac felly mae cyrff y didol cyntaf yn mynd i gael eu harchwilio'n fanwl wedi'r lladd. Sgwn i beth feddylian nhw pan welan nhw'r perchyll bach newydd yn syrthio o nghroth i wrth iddyn nhw fy agor yn y labordy? Beth ddarganfyddan nhw yn eu cyrff bach difywyd, dianadl?

Y bwydo ydi'r bai, dwi'n gwbod hynny. 'Dan ni'n gallu teimlo hynny. Mae'r gwenwyn yn y cibau, mae o yn yr awyr, ac yn y pridd. Ac mae dyn yn dal i'w gynhyrchu a'i fwyta heb sylweddoli maint y broblem. Tydi dyn ddim uwchlaw gwyddoniaeth; cyfyng iawn yw ei wybodaeth yn y bôn, neu fydda fo ddim yn defnyddio'i dir mor rheibus ag y mae o. Ond tydio'm yn trio gwrando ar yr hyn mae'r ddaear yn ei sibrwd wrtho ers canrifoedd.

Cymerodd, meddiannodd, treisiodd a thyfodd ynddi'r winwydden orau, ond bwydodd ei winllan â gwenwyn, gorweithiodd hi, tynnodd ohoni bopeth oedd dda i'w ddibenion ei hun, ond roddodd o ddim yn ôl iddi, dim ond ei wastraff a'i awch am ragor yn tyfu'n fwy drwy bob canrif. Tydio 'rioed wedi trafferthu i drio deall yn iawn be sy'n llechu rŵan yn ei fam ddaear. Y fo plannodd o ynddo fo, fo greodd ei wastraff heintus, a rŵan rhaid iddo ddysgu byw hefo hynny, a marw hefo fo hefyd.

Ychydig ddyddiau cyn i'r llywodraeth roi sêl eu bendith ar y didoli cyntaf fe saethodd Mr Prydderch ei hun yn ei ben. Doedd o ddim yn gallu wynebu'r lorïau oedd yn dod i'n cludo ymaith a'r dynion yn eu gynau gwynion yn chwistrellu cemegau hyd ei lwybrau. Roedd o wedi mynd i waelod y cwm ar ben ei hun bach, ac yno, ar lan yr afon, lle mae'r dyfroedd dyfnion yn oedi wrth fedd fy Morgan annwyl, fe blannodd fwled yn ei ben a chael ymwared o'i boenau i gyd. Treiglodd ei waed hyd at y dyfroedd, a chyrchodd yr hen afon beth ohono tua'r môr. 'Crych dros dro' oedd y meistr yntau.

Mor drist yw fferm Rhydlasau erbyn hyn, heb na gwas na meistr i ofalu am ei herwau llydan. Erwau a fu ar un amser mor gynhyrchiol, mor wyrdd ac mor lân.

Mae'r saethu wedi ailgychwyn ac mae'r ergydion rŵan yn ein byddaru. Clywaf wingo cynnes yn fy ymysgaroedd a bywyd ar fin cychwyn a darfod yr un pryd. Gwelaf ddynion mewn gynau gwynion yn cerdded tuag ataf. Gwelaf y dyfroedd. Gwelaf y gwyrddni. Gwelaf afon. Gwelaf...